麒麟传媒·尚書房 出品
www.qlpress.cn

U1001202

生活·认知·成长

青春励志故事

生活·认知·成长
青春励志故事

冬夜，一束灿烂的光

风尚卷

杨晓敏◎主编

地震出版社

图书在版编目（CIP）数据

冬夜，一束灿烂的光：风尚卷／杨晓敏主编．—北京：地震出版社，2012.2

（生活·认知·成长青春励志故事）

ISBN 978-7-5028-4010-5

Ⅰ.①冬…　Ⅱ.①杨…　Ⅲ.①短篇小说—小说集—中国—当代

Ⅳ.①I247.7

中国版本图书馆 CIP 数据核字（2012）第 021868 号

地震版　XM2612

冬夜，一束灿烂的光——风尚卷

主　　编：杨晓敏

执行主编：马国兴　王彦艳

责任编辑：范静泊

责任校对：孔景宽　凌　樱

出版发行：地震出版社

北京民族学院南路 9 号　　邮编：100081

发行部：68423031　68467993　　传真：88421706

门市部：68467991　　传真：68467991

总编室：68462709　68721982　　传真：68455221

E-mail：seis@mailbox.rol.cn.net

http：//www.dzpress.com.cn

经销：全国各地新华书店

印刷：北京振兴源印务有限公司

版（印）次：2012 年 4 月第一版　2012 年 4 月第一次印刷

开本：710×1000　1/16

字数：204 千字

印张：14.5

书号：ISBN 978-7-5028-4010-5/I（4685）

定价：28.00 元

序

杨晓敏

好书是具有生命力的。一本好书，我们拿在手上，揣在兜里，或者放在枕边，会感觉到它和我们的心一起跳动。在日常的学习生活中，我们每天都在用最经济的时间、精力和财力，收获着超值的知识、学问和智慧，于是我们自己，就在一天天地充实厚重起来。

优秀的短篇小说，就是这样的好书。它是顺应现代人繁忙生活而发展成的一种篇幅短小的小说。跟一般小说一样重视场景、个人形象、人物心理、叙事节奏。优秀的作者可写出转折虽少却意境深远，或转折虽多却清新动人的作品。

现在，许多优秀的作者舒展超感的心灵触觉，用生花的妙笔，把小小说从文学神坛上牵引下来，在我们广大读者面前，展现出一幅幅五颜六色的生活画卷，或曲折离奇，或险象环生，或嬉笑怒骂，或幽默诙谐。于是，阅读一本小小说，就成了繁忙生活的轻松点缀，紧张学习的有效调剂，抹平了你我微皱的眉头，漾起了会心一笑的嘴角。

我们精心编选的这套“生活·认知·成长青春励志故事”小小说丛书，每一辑都包含了“悟性”“创意”“想象”“品味”“风尚”“情愫”六卷，并围绕这六个主题，选取当代国内知名作家的精品力作，各自汇编成书，具有强劲的文学感染力。篇篇都耐人寻味，本本都精挑细选，既是青少年认识社会的窗口、丰富阅历的捷径，又堪称写作素材的宝典。作品遴选在注重情节奇巧跌宕，阅读效果峰回路转、柳暗花明的同时，注重价值取向，旨在引导青少年全面、客观地认识社会，开阔视野和胸怀，提高综合素质，进而确立正确的人生观、价值观。

在这套书里，我们推荐给青少年读者的是充满活力的大众文化形态的小小说佳品荟萃。所选择的作品，尽量体现质朴单纯，而质朴不是粗硬，单纯不是单薄；体现简洁明朗，而简洁不是简单，明朗不是直白。它们是理性思维与艺术趣味的有机融合，是人类智慧结晶的灵光闪烁，是春风化雨滋润心灵的真情倾诉，是鲜活知识枝头的摇曳多姿，是青少年读者嗅得着的缕缕墨香。

知识没有界线，可以人类共享，只要是具有优良质地的文化产品，都能互补、渗透、影响和给人以启迪。任何一粒精壮的知识种子，播撒在人们的心灵深处，都会开出艳丽的花朵，结成高尚的果实。

青年出版家尚振山先生以极大的热情，独到的眼光，精心策划了这一套“生活·认知·成长青春励志故事”丛书，我和同仁马国兴先生、王彦艳女士应邀参与编纂，当然也愿意大力推荐给广大青少年朋友们。

2012 年春

冬夜，一束灿烂的光 contents 目录

冬夜，一束灿烂的光

〇聂鑫森

天很快就黑了。

沙、沙、沙，下起了雪粒子。

屋子里冷得很，空得很。

妈妈吃过晚饭就走了，去一家夜总会洗碗、洗杯子和扫地，剩下孤零零的小鹃。

妈妈昨夜在扫地时，从垃圾里拾起了几支半截的小蜡烛。妈妈告诉小鹃，夜总会里的灯光很暗，每张小桌上都点着小蜡烛，远看像好多好多的星子落在地上。

可惜，小鹃一次都没有去看过。她一边搓着冻僵的手，一边寻出蜡烛和火柴，小心翼翼地点着了，在一只小碟子里倒出一点点融化的烛油，再把蜡烛竖着粘上去，屋子里似乎暖和了很多。她摊开课本和作业本，开始做老师布置的作业。小蜡烛焰头小，光线影影绰绰。小鹃想再点一支，到底舍不得，谁知道这电会停到哪一天呢?

小鹃抬起头来，看着对面三楼明亮的窗口，那是亮子的家。亮子有爸爸有妈妈，家里什么都不缺，亮子一家人都对人和气，她觉得亮子真有福气。她想起因癌症而去世的爸爸，三年前，她才十岁，爸爸在病床上拉着她的手，说："小鹃，以后你要听妈妈的话。爸爸怕是不能陪你们了。"她想起妈妈，厂子不景气，下岗了，到一家夜总会去做临时工。因为厂子拖欠电费，连家属区也经常停电。

小鹃扑啦啦掉下泪来，一滴泪落在作业本上，把方程式中的一个“Y”字，泡得很胖。她揩干了泪，赶忙做起作业来。她得抓紧做完，然后尽快复习功课，这样可以节约蜡烛。

蜡烛的光摇晃着，缓缓流着红红的泪水。

突然，小鹃的面前亮出一大块光斑，像泼出的一泓银水。她的课本、作业本，她的冻得红红的手，都浸在这一泓银水中，模模糊糊的字变得很清晰。她吃了一惊，差点叫起来。

小鹃抬起头，追踪着射进玻璃窗的这一束光，到底来自哪里。

她看清了，来自对面三楼亮子家的窗口！

亮子的爸爸妈妈是另一个厂的，那个厂很红火，宿舍区也是亮堂堂的。两个宿舍区只隔着一道围墙，小鹃住的楼和亮子住的楼只是隔墙而立，距离很近，两家都在三楼上，窗口对着窗口。亮子和她同班，而且同桌。亮子多次请她到他家去做作业，她不去；要借充过电的节能灯给她，她也不要。她说：“亮子，谢谢你。妈妈说，我们不能给人家添麻烦。”

在亮子家玻璃窗后面，高高地架着一个塑料空心圆筒，倾斜的圆筒里拴着一只很大的灯泡。一束很强的光从圆筒里射出来，像探照灯一样，正射到小鹃的桌上！

小鹃立刻明白了，是亮子想出的办法。当然，亮子的爸爸妈妈肯定也参与了。

小鹃站到窗前，想对着对面三楼说一句感激的话，但喉头像有什么东西哽住了，什么声音也发不出来。小鹃看见亮子的身影了，他把两边的窗帘拉向中间，只留下那个“探照灯”的位置，然后，亮子就隐到窗帘后面去了。

小鹃静静地坐下来做作业和复习功课。

她想：这个下雪的冬夜，这一束灿烂的光，将永远永远留在她的记忆里……

盛开一朵玫瑰花

〇李世民

春天总是很短暂。

而叶惠很想在匆匆而过的春天里寻找到一份浪漫的情致，比如，收到一束鲜艳幽香的玫瑰花。尽管，叶惠早已步入不惑之年。

那束鲜艳幽香的玫瑰花，应该是孟凡送给他的。

叶惠不习惯叫孟凡的名字，而习惯于称呼他的职务。孟凡不习惯叫叶惠的名字，同样习惯于称呼她的职业。叶惠常常喊：孟队长，吃饭喽。孟凡常常说：叶老师，该休息了。20多年了，一直是这样。

刑警队里的孟凡，破了一桩又一桩大案，高中里当教师的叶惠，送走了一茬又一茬的学生。孟凡觉得，叶老师的工作最有意义，送走一茬又一茬的学生，就像放飞一颗又一颗的星星，星星们闪闪发光，老师的心里自然会越来越亮。叶惠觉得，孟队长的工作最忙，破了一桩大案，另一桩大案又来了，就像一枚旋转的陀螺，永不停息……

还好，就在昨天晚上，孟凡对叶惠说，叶老师，明天是周日，陪你去公园。叶惠听了，幸福地笑了：周日逛公园，久违了。

春天的阳光就是今天这么灿烂，洒在孟凡身上，也洒在叶惠身上。孟凡穿的是便装，依然如当年一样健硕和潇洒。孟凡也着意修饰了一番，更显得恬静而妩媚。

叶惠挽住孟凡的臂，孟凡抚着叶惠的手，行走在春天的公园里。

走在花坛边，叶惠指着近处说，孟队长，你看这里的花开了。孟凡指着远处说，叶老师，你看那里的花也开了。

穿过竹趣园，孟凡悄悄对叶惠说，叶老师，我们做个游戏好吗？叶惠疑惑地问，怎么做游戏啊。孟凡说，很简单，今天，我不叫你叶老师了，你也别喊我孟队长了。我叫你惠，你喊我凡，这个游戏的目的是，找回当年的感觉，记住啊，不许叫孟队长，只许叫凡。叶惠听了，脸上泛起了红，点了点头。

来到清风桥，孟凡轻声说，惠，你看池中的鱼，成双成对的。叶惠柔声说，凡，你看前面的人群中，游玩的人也是成双成对的。孟凡说，是呀，惠，你看人群里的那个秃顶男子，和他带着的那女子年龄悬殊，倒像是一对父女。叶惠朝人群观望的时候，孟凡用手机发了一则短信息。

凡，那秃顶男人好像一下子走得很快，拉着那女的。叶惠奇怪地说。惠，那个秃顶男人是我的朋友，我要上前和他说句话。孟凡说完，撒开叶惠的臂，快步向前走去。

孟凡一边走，一边取出手机，孟凡把手机放在嘴边说：目标出现，立即靠近。

叶惠看见，秃顶男人一边匆匆行走，一边东张西望，叶惠忽然觉得，秃顶男人是一个熟悉的面孔。叶惠的脸好像被毒蜂狠狠地蜇了一下，她想起来了，秃顶男人是一个被公安局通缉的黑恶势力要犯。

此时，孟凡离秃顶男人已经很近了。

叶惠心里忽然像系上了一块石头，一下子被吊了起来，她不知所措地向前跑去。

孟凡已经贴近秃顶男人了。

叶惠喊了一声：孟队长——小心——

秃顶男人激灵了一下，猛然回过了头，差点碰住孟凡的脸。陡然之间，孟凡的眼睛和秃顶男人的眼睛近距离地对视着。

孟凡的手铐和秃顶男人的匕首几乎是同时掏出的。

秃顶男人倒退了一步，突然向左侧跑去。

叶惠就在左侧迎面而来，秃顶男人瞬间的奔来让她没有任何思考的时间，她伸手拦住了秃顶男人。秃顶男人挥舞着匕首，想拨开叶惠继续向前冲去，而叶惠却死死地抓住了他的衣角。

尽管秃顶男人用刀捅了叶惠一下，叶惠抓着他衣角的手一直都没有松开。孟凡和便衣警察们随后赶来，制服了秃顶男子。

孟凡看到，叶惠胸前洇出了鲜红的血，像一朵绽放的玫瑰。

急救车上，孟凡说，叶老师，对不起，今天的这次行动，我没有提前告诉你，但你配合得非常好。

叶惠细声说，孟队长，其实，我早就知道，但我经验不足，刚才不该喊你孟队长。

孟凡点了点头，含着泪说，叶老师，明天，我送你一束玫瑰花，好吗？

白老师与田

〇伍中正

白老师高中毕业就回了村里。村里的干部很高兴，说白老师回来就好了。在一起讨论时，说村里再穷，也要把白老师留住，留住白老师，就是留住了白家庄的将来。

白老师就留在村里。

白老师年轻时，没有转正。村里分田，按人口分，他自然就分到了田。白老师的田一上一下两块，有三亩的样子。分田前，队长问白老师，要不要？白老师说，要，哪一天不教书了，就会闲着。

白老师在那长着紫云英的田边站了很久，紫云英红红的花朵就送他回家。

在学校教完书，白老师就往家里跑，赶着犁田，赶着下种。村里干部看见了，说，白老师，你把那些娃娃教好了就行。田，村里的干部来种。白老师说，教那些娃，我有底。一句话说得村里的干部不好意思再下田。

日子明媚，白家庄明媚。很多燕子在白老师的头顶飞。白老师犁田时，觉得辛苦了，就清清嗓子，唱个一嗓两嗓的。高高低低的声音，飘开去，让村里女人听见了，说白老师一点都不怕吃苦，累得浑身没劲了，还快活。

看见那些绿的秧苗在露水里在阳光里长出来，白老师的高兴写在脸上。白老师明白，那两块田，就是两块面包，饥饿时能填饱自己；那两块田，就是两块毯子，寒冷时能温暖自己。

白老师教书时，心思花在学生身上。他教出的班级是整个联校最好的班级，他教的学生，有两个参加了奥林匹克数学竞赛，还拿了奖。学生高兴，白老师更高兴。白老师把高兴藏在心底。

联校校长要他到联校介绍经验，白老师说，没啥经验，再说，我忙，回家还得给水稻上肥。他摇摇头就回家了。

白老师回来，总要到田边看看，看看那些秧苗渐渐地抽穗扬花，看看那些谷子渐渐地金黄。学校放了暑假，白老师就安心在家里收稻，安心在田里栽下晚稻。

村里有人说，白老师的田种得好。村里还有人说，村主任天天搞农业的，还没有白老师的两块稻田来劲。

没两年，白老师结婚了。白老师对自己面容姣好的妻子说，我现在当老师，往后不当老师了，就种田。田是我将来的面包，也是毯子。

白老师的妻子很听话，没退那三亩田，也没让人家种，还说，就守着你的面包和毯子。

大热天，白老师和妻子两个人在田里忙乎。

过了两年，白老师转正了。村里有人说，白老师这下好了，拿着稳当的工资，可以不要田了。

白老师说，田还得要。

白老师和妻子并排在田里插秧，一起往后退去，眼前就是一片绿。栽过十来行后，白老师站起来看看那些绿色。白老师妻子站起来，看见村里干部在远处栽下秧苗的田边指画。白老师妻子忍不住说，老白，那时候，咋就有干部过来帮忙，现在就没有干部来帮忙了？

白老师说，现在干部上上下下搞协调搞招商搞引资，忙不过来。

村子里很多人在城里打工。尤其过了年，很多人背着大包小包出了门。白老师看见那些人进城的身影想，那些人，有一天，还要不要田？

村里很多人不打算要自己的田了。田一块接一块地荒了。村主任就拿白老师当例子，说人家白老师有了公家的稳当饭吃，还种着田。分了田要是不种，那是糟蹋！

有一回，村里易米老气横秋地要找村主任退田。村主任也不示弱，说人家白老师还真心实意守田，你易米起啥子浪？三言两语就把易米堵回去了。

这事让白老师的妻子知道了，说村主任在夸你。

白老师一笑。

白老师一直种着自己的田，不管收成好不好。

村里很多人荒了田。白老师看着那些荒了的田可惜，找到村主任，说，很多田荒了，易米的田都没种。村主任叹口气，说，是荒了。村主任一脸无奈。白老师回来的路上，不住地嘀咕，不能荒不能荒。

白老师退休了。

白老师还种着那两块田。妻子劝他别种了，白老师说，我要不种，村里人说我年轻时想着要种，现在不种，怎么行？种吧！

有白老师教出来的学生回来，也劝白老师。那学生说，没有白老师，就没有我的大学，没有我的公司，没有我的前程。只要白老师肯走，我给最好的待遇。学生劝得情真意切。白老师边听边摇头。学生劝他不动，只得走了。学生一走，就有人对白老师说，你那学生在城里开了个好大好大的公司，不让你干活儿，还给你钱，咋就不去？

白老师不说。

白云在白家庄的天空飘荡，荡向远方很多人爱着的城市。白老师在田里干活儿干累了，就和妻子坐在田埂上。白老师看看白云，又看看那些新建的房子，清一清嗓子，就唱：“我们的家乡，在希望的田野上……”妻子也清清嗓子跟着和：“炊烟在新建的住房上飘荡……”

唱着唱着，白老师的眼里就唱出了泪。

检察长的 36 岁生日

○奚同发

刘晓波是凌晨两点多尚在梦乡时接到的电话。临出门时，妻子还从被窝儿里钻出半个身子冲他喊：明天是你 36 岁的生日，无论如何要回来过，本命年要开始系红腰带的。她知道干了十多年检察工作的老公半夜一出门，就可能几天不回家。关了防盗门的刘晓波在黑暗中应了一声，楼道里便传来只有妻子才能听到的脚步声。

见到省、市领导，刘晓波明白了此行的重任——异地突审一位被“双规”的市委组织部长。翻阅了相关材料，他的心“咯噔”了一下，但脸上丝毫显不出什么变化。

审讯是在市郊山上的度假村宾馆里进行的。平时一两分钟就可以走完的过道，刘晓波走了近十分钟。在 1106 房门前，他默立片刻，正了正帽檐，决然地推门进去。

负责王佳和安全的两位检察人员站起来向他点点头。王佳和坐在沙发上，看也没看刘晓波一眼，直到刘晓波坐在他对面，他才把头扭向一边，显出一副不管谁来都一言不发的架势。当他眼睛的余光扫到了刘晓波，脖颈就僵在了那里……

沉默片刻，王佳和发现，对方既没叫他老师，也没称他部长，更没有握手、问好，就连一般的招呼也没打。刘晓波无言中递过来一支烟，王佳和木然地摇了摇头。刘晓波应该知道他是不吸烟的，在“审讯”中这一递烟就说明，刘晓波把他的底都看穿了。王佳和突然觉得自己憔悴不堪。

一切都凝聚在寂静无声之中。二人都在硬撑着等待对方开口。刘晓波知道，在这之前，王佳和已与检察人员对峙了一天一夜。

手机突响，家里打来的，妻子连哭带叫的声音传来，儿子被绑架了……刘晓波一愣，紧闭双眼半分钟才平静地说了句："打 110，报警。"然后把手机关了。

王佳和明白，是那些怕受牵连的人在不断地给他"暗示"。刘晓波之前已有两位检察官退出审讯。一位是老母病逝，急等他这唯一的亲人回家安排后事；另一位是突然晕倒，送往医院也没查出什么病，只说晕得无法继续审讯……

按事先准备，工作人员给刘晓波与王佳和端来了浓酽的茶水，是碧螺春。一时间，透明的玻璃杯内绿浪翻腾，雀舌渐开，室内缭绕着"炒青"的茶香。至此，双方第一次瞬间对视，都没说什么，开始观色、闻香、徐徐品味。

刘晓波一直喝碧螺春，是因为 12 岁那年他的父母在洪水中双双离世，第一个本命年就是在王佳和的单身宿舍喝着碧螺春、吃着两个鸡蛋度过的。虽然当时王老师一再讲解，他也没有品出这"卷曲成螺，满身披毫，银白隐翠，香浓味醇"的洞庭名茶到底好在何处，但工作后他只喝这种绿茶。他也曾托人给早已从政的老师王佳和捎过一次"明前"碧螺春。据说，刘的提拔并不全是因为工作出色。在出色地工作了多年后，已为某市组织部长的王佳和，有次与刘所在市的市领导一起吃饭时说起了他。结果是刘很快由反贪局侦查科长提拔为副检察长，再到正职……

一芽一叶，形似雀舌，汤色碧绿清澈，叶片嫩绿明亮，这同样是春分至清明那段时间采制的极品"明前"茶。两人先是由品茶而斗茶，慢慢地色清味去后就剩下"拼水"……一杯接一杯，喝得杯中只余茶渣儿。

时间一分一秒过去，王佳和毕竟年龄大了，脸憋得通红说，算了，我还是去吧，方便一下。刘晓波看了同事一眼，同事陪着去了。

然后又是对峙，又是喝茶。不到一个小时，王不得不第二趟去厕所。如此，王佳和去厕所的时间间隔越来越短。当他第13次从厕所出来时，才明白依然稳坐不动的刘晓波“熬鹰”手段确实与众人不同……窗外余晖落尽，撤去水杯，两人面前换成了咖啡。半夜过后，咖啡较量把已多时未曾合眼、疲惫不堪的王佳和彻底击垮了。一杯杯浓咖啡让他在亢奋又亢奋之后，再也无力亢奋了。

王佳和身子一歪迷糊过去。按惯例，是不可能让受审者入睡的。可对于王佳和，刘晓波知道，他这一迷糊就证明他已走到最后。刘晓波揉揉自己带血丝的双眼，喝下最后一点儿咖啡也打起了盹儿。

黎明时分，同时醒来的刘晓波与王佳和首次开始了长时间的对视。最后王佳和先开口说，知道会找你来的，但没想到这么快。你们轮番地“熬鹰”，我最终也抗不过。既然要说，为何不对你说？也算老师对学生的最后一点贡献。之所以挺到现在，是因为今天是你的36岁生日。我现在就全说了，权当是我送给你36岁的生日礼物。开始笔录吧……

刘晓波站在院子里仰望朦胧的苍穹，长出了一口气。打开手机，看到一条短信：成功解救儿子。他的眼窝一热，向着市区方向说，谢谢。接着一个个短信纷至沓来，均是同事朋友祝他生日快乐的。刘晓波再也控制不住，泪水长流……

鱼的权利

○闻　宜

去年5月初，我到美国马里兰州去探望叔叔。

一天下午，我们闲着无事，叔叔便带我到距他家3公里之外的一个傍山的湖边钓鱼。叔叔只携带了一支钓竿，领着我来到一个幽静的位置坐下来。我从叔叔的手中抢来钓竿要先试试，叔叔却连连摆手说："你没有钓鱼执照，不能钓，否则一旦被警察发现了，那可是要罚款的。这就是我为什么只带一支钓竿的原因。"我却不以为然，在这深山野湖，又没人看见，管它呢！叔叔说："没人看见也不行。"他命令我做他的助手，给他上饵、取鱼。

叔叔是个钓鱼高手，他差不多每10分钟就能钓到一条。我坐在他的旁边，帮他上饵、取鱼。他时不时地嘱咐我，小鱼和大肚子雌鱼，都要放回湖里。我嘴上答应着，心里却想小鱼和鱼卵都是很好吃的。于是就自作主张，凡钓上来的鱼通通装入了塑料桶里。

太阳落山了，该回家了。我数了数，大塑料桶里已经有20多条大大小小的鱼了。这时忽然驶来了一辆警车，跳下一男一女两名穿制服的警察。他俩走到我们跟前，先向我们亮了一下警察证，并和蔼地告诉我们，这是例行检查，然后问我们是否有钓鱼执照。叔叔掏出钓鱼执照给他俩看后，还立刻指着我向他俩解释道："这是我的侄子，只是一名旁观者，绝对没有碰过钓竿。"警察先生点了点头，将钓鱼执照与叔叔的身份证核对之后，将目光转向装鱼的塑料桶。这时，只见警察先生挽起袖子，伸手从塑料桶中捉出一条小鱼，警察女士从皮包里掏出一把尺子认真地度量起这条小鱼来，忽然惊叫道："啊，这么小，多可怜！"警察先生接着又挑出一条大肚子雌鱼，警察女士又惊叫了："我的天，母子全给你害了！"警察先生一脸严肃地说："你们钓上来的鱼，其中有4条体积过小，还有两条怀孕的雌鱼。按照法律规定，这些鱼上钩后要立即放回水中，为什么没有照做？"叔叔听罢，立即向我投以愤怒的目光。这时警察女士追着问道："你去领取钓鱼执照时没给你一本《钓鱼须知》吗？"叔叔只好摇摇头。警察女士马上到车里取出一本《钓鱼须知》，并结合里面的插图耐心地讲解起来，之后又说必须罚款。警察先生刷刷地填写了一张罚款单递给叔叔，并说道："去银行交款吧。你如果不服可以请律师。"随后他俩便驱车而去。叔叔拿着罚款单，一脸愁云。

我试着问罚了多少，叔叔说500美元。啊，我听后惊呆了，500美元，就是4000多元人民币呀！

叔叔严肃地说："罚款还是次要的，现在的问题是，这个不良记录被输入了计算机，可就是我一生的污点啊。以后不管到什么地方，看病或是坐飞机或是到餐馆就餐等等，人家一输入你的身份证号码，就会看到这一不良记录。"

回家后，叔叔拿出一本《马里兰州钓鱼法》让我看。我翻了翻，有12页，共7章63条145款。以下是我看得懂的："钓鱼必须凭钓鱼执照；一人最多只能用两支钓竿；钓竿最长不得超过48米，丝线最长不得超过19米；不得用电动卷线钓竿；一支钓竿最多只能安两只鱼钩；钓钩上不得有倒刺；不准用蚯蚓、蜻蜓、小鱼、小虾等小动物做饵；取鱼时不得弄裂鱼唇；过小的鱼与怀孕雌鱼要放回湖里。"

面对这部洋洋洒洒的《马里兰州钓鱼法》，我感到羞愧难当。

第七条白裙子

〇孙小明

和婉同宿舍的六个女生都来自城市。不用说，婉来自乡下。

进入初夏的一天，同室的雅文从街上买回一条洁白的连衣裙。几个女孩子一下围过去，又捏又揉，争着试穿，赞叹之声不绝。最后，大家商定，宿舍每个人都买一条这样的白裙子。想想看，七个清纯漂亮的大一女生，身着一色的白裙在校园里鱼贯而行，会掀起一场不小的风波呢！她们征求婉的意见，婉从书上抬起眼睛，极不自然地笑笑，未置可否。

两周后宿舍里便有了六条那样的白裙子。只有婉还是那身土里土气的衣服。

她们催婉快些往家写信要钱。写还是不写？婉心里非常矛盾。她清楚家里的情况，父母为供她上大学已是债台高筑，180 元一条的裙子也许算不上高档，而对于一个贫困家庭，这个数字意味着什么？一想到父母疲惫的身影，婉怎么也不忍心再开口向他们要钱。可婉真的很想拥有一条那样的白裙子，上天赐给她姣美的容颜和亭亭玉立的身材，只要稍作打扮，她马上就能脱颖而出。

信还没来得及发出，却收到了家里的信。父亲说，为了能让婉念完大学，打算让她弟弟辍学，外出打工以贴补家用。

婉将刚写好的信撕得粉碎，然后重写了一封，告诉父亲无论如何要让小弟继续上学，她在这儿花不了多少钱，况且期末能拿到奖学金。

信“咚”的一声进了邮筒，关于一条白裙子的梦想也“咚”的一声沉入心底。

那晚婉失眠了。上铺的雅文睡梦中翻了个身，她的白裙子飘然滑落下来。婉轻轻捡起来，那柔软的布料丝一般爽滑，她把它贴在脸上摩挲着。她突然想穿上它试试，哪怕只是一小会儿她也会满足的。这种欲望驱使她悄悄起床，将那条裙子罩在了身上。她对着月光左看右看，心里不胜惊喜又万分紧张，想在屋里走动走动，又怕惊醒她们，于是蹑手蹑脚出了寝室。

校园里寂静无人，月光如水倾泻在草坪上，月季花羞涩地打着朵儿。婉穿过红漆长廊，又绕着花坛转了一圈，荷叶边的裙裾上下翻飞。

今夜，婉是月宫里出巡的嫦娥。

婉想，自己该回去了。她不敢奢望太多的幸福，只这一会儿就够了。

婉提着裙裾轻轻上楼，又轻轻开门……

突然“啪”的一声电灯亮了：“这么晚了你……”雅文的话只说了一半。所有的人都已醒来，傻子一样看着婉。婉只觉得脑子“嗡”的一声，一片空白。雅文反应快，伸手关了电灯，她们又都不声不响地睡下了。屋里恢复了死一般的寂静。婉呆立中央，那一刻知道了什么叫入地无缝。好一阵子，婉才走到床边，很平静地脱下裙子，叠好放在雅文枕边，之后她钻进被子，蒙上头，这才任泪水恣意流淌。

第二天，雅文她们像是商量好似的，都把白裙子悄悄藏了起来，换上了平时穿的衣服。

那以后，原来就不合群的婉更是独来独往。她每天早出晚归，一个人低着头来去匆匆，白天泡在图书馆里，晚上熄灯以后才偷偷溜回宿舍，一整天也难得说上一句话，对任何人都抱着一种敌对情绪，总感到她们都在嘲笑自己。婉想：也许我不该到这里来，孤零零地立在那儿，浑身上下透着自卑自怜。婉甚至想到过退学。

不过，有一点令婉很感动：这段时间，宿舍里谁也没有再穿过一次白裙子。

一个多月后的那个星期天，雅文她们都到街上玩去了，婉像往常一样在图书馆待了一整天。晚上她独坐在花坛旁边，双手捧腮，任思绪与月光一起流淌。这一天是她19岁的生日。回去的时候宿舍里已没了灯光，想必她们都睡下了。悄悄开门进屋，突然一道火光点亮了一支红烛，六个身着一色白裙的女孩围坐在桌旁，望着婉甜甜地笑。桌子上摆着一小盒精致的蛋糕。雅文走过来，将一个包装精美的纸盒递给她说："生日快乐！"婉愣了好一阵子，然后用颤抖的手解开红丝带，打开，是一条和她们身上一模一样的白裙子。原来这一个多月里，她们六个牺牲了所有的课余时间，两个到食堂打扫卫生，三个到校门口的餐馆打杂，雅文则找了一份家教。这样辛苦一个月，居然挣到了三百多块钱。

婉能说什么呢？她什么也说不出口。一切的苦恼都不过是她的自卑罢了。婉将那条白裙子捂在脸上，任泪水把它浸湿……

宿舍里有了第七条白裙子，校园里从此多了一道靓丽的风景。那以后，她们七个一起参加各种集体活动，一起到校外挣一些微薄的收入。

大学四年，除了那条白裙子，婉的确没穿过一件像样的衣服，但她再也没有因此而自卑过。她曾穿着土里土气的衣服参加过学校的演讲比赛，并取得了名次；也曾穿着母亲亲手做的布鞋和系里最潇洒俊朗的男生跳过舞。从来没有谁因为她的衣衫而忽略了她的美。

服务礼仪

〇兰　音

上午我们忙得不可开交，临近下班时间，接到通知，说新一任许局长非常重视收费窗口服务工作，从明天开始，工作人员轮流到会议室培训规范的服务礼仪。

会议室里临时装了一面墙镜，还安装了一台摄像机。许局长严肃地说，窗口是单位的眼睛，礼仪是窗口的形象，为了提高我们的服务水准，要求大家严肃认真地对待这次难得的培训机会，决不能嘻嘻哈哈当儿戏，争取在最短的时间内，把我们的日常服务礼仪培训得到位。

聘请来的礼仪老师，是个小姑娘，据说到省城接受过三个多月的专门训练。她为我们讲解了服务礼仪的常识和要求后，说鉴于我们这些人年龄跨度较大的实际情况，得一步一步来，训练站姿、坐姿、走姿各三天，训练规范用语三天，手势和微笑又三天。

五个三天下来，我们个个腰酸腿痛背僵直，面带微笑不自知。接下来就是把培训内容实践到具体业务中去。我们提出在具体业务的办理过程中，有些培训内容可以变通应用，但都被一一否定。规范嘛，要的就是规矩下的方圆。

我们总是月初忙月底清闲，现在已是月底，客户稀稀拉拉地来，实践是在局党组一班人全程跟踪下进行的。第一个同事很顺利，客户是一位陌生小伙子，看上去比较满意。第二个同事也过关，来者是她的同学，她一个眼色，同学配合得无可挑剔。再下边的几位同事面对的是回头客，由于面子上抹不开，一些环节上不合要求，未做到位。

许局在旁边发话了，没过关的，等一遍过后，重来。机会只有一次，后果自负。

我被点到的时候，许局半开玩笑地敲警钟说，用不着我来讲“孙武演阵”的历史故事了吧？言外之意，我这个小小的负责人可要当心，昔日的吴王都不能保全其爱姬，我又是何人，做不好那就自己担着吧。

我心里千不怕万不怕，只祈祷千万不要来熟人。这时候我就看见我二大爷进了大门，眼睛直接定位在我这里。天哪，结婚十几年来，我最怕见到的人就是我爱人的这个二大爷。

我首先收腹挺胸，两臂自然摆动，走出一字步，按规定从桌子左端走到柜台跟前，然后采用丁字步，身体重心移往一足，左脚跟部位于右脚鞋底的三分之一处，那么一站，微笑着迎着二大爷机械地说，先生您好，请问您要办理什么业务？

二大爷先是莫名其妙地盯了我几秒钟，然后大嘴一撇，并往脚底下吐一口唾沫，说，我能有什么业务？给你们送钱来了！

我不敢理会二大爷的反应，赶紧右手很标准地一伸，您请坐，请稍等。接着我两肩放松，下巴内收，脖子挺直，胸部挺起，双膝并拢，双手自然地放于双膝，标标准准地坐下来。一抬头，却不见了二大爷，原来二大爷在柜台外边的地上坐了。我小声说，二大爷，你没事吧，怎么坐在地上？二大爷说，不是你让我坐的吗？柜台这么高（我们的柜台高120厘米），我又坐不上去，这里连把椅子都没有，不坐地上坐哪里？敢情你出来，我进去坐？（在培训中得知，标准柜台80厘米高，配轻便椅。）

待二大爷站起来，我迅速地开好收据，恭恭敬敬地双手递过去。二大爷一把抓过，转身就走。我说，请您慢走，欢迎再来！

二大爷站定，慢慢回过头来冲我说，小姐，怎么说话呢？

我又机械地按标准对二大爷说，先生，有什么不妥吗？如果我在工作中有什么不对的地方，请您指正。

二大爷也不客气，气愤加恼怒地冲我叫：大侄媳妇小姐，我还真得给你指正两点，一、我是你二大爷！不用你说，我也是男的！二、我今天被罚款，已经够倒霉的了，你欢迎再来，你就见钱眼开吧！

尴尬地看着二大爷离去，我看到许局向我投来赞赏的目光。

几天后，在许局主持召开的第一次全体工作人员会议上，许局着重总结了我们这次服务礼仪培训和实践情况，还表扬了我在礼仪实践当中表现出的认真态度，并亲自发给我一条大红毛毯以资鼓励。

一地幸福的鸡毛

○刘　华

21 岁那年，我从师范大学毕业后分到一所新建的煤矿中学当教师。煤矿处于大山间，这里风景秀美，人也和善可亲。可惜没有图书馆，没有溜冰场，没有舞厅酒吧，也没有谈诗论画的朋友，不出两个月，就觉得已被文明遗忘。开学两个月后，办公桌才做好送来。我伏案工作一天后，两只手臂上竟长满了又痒又痛的红斑！

跑到学校医务室，医生说："这是漆过敏，没什么特效药可治，过些日子自然会好的。"我高挽着袖子走回办公室，本来郁闷的心更加沉重。

第二天下午走进教室，却见讲台上摆满了瓶瓶罐罐。一帮学生拥上来说："老师，我妈妈说涂上这个可以止痒！""老师，我奶奶说把这个贴在手臂上可以把毒拔出来！""老师，我大姨说喝了这药一天就好……"一双双纯真的眼睛看着我，急切地向我推荐他们讨来的秘方。

不等我说谢谢，讲台下一阵喧闹差点儿把我气晕。不知何故，教室里竟然鸡毛满天飞舞，十几个学生满教室追着鸡毛跑。

"干什么你们！"我将书在讲桌上猛地一拍，才涌上心头的感动被这漫天鸡毛搅得点滴不剩。

教室里陡地安静下来，一双双惊恐的眼睛盯着我。

"谁把鸡毛弄到教室里来的？"我恶狠狠地看着正悄悄溜回座位的学生，一片鸡毛却飘然落在我的鼻尖上，讲台下一张张正绷紧的脸露出了笑容。我一挥手打掉鸡毛，更凶狠地看着这一帮学生。

“是张浩！”几个学生争着说。

坐在第一排的张浩立刻红了脸低下头。

“你带鸡毛到学校来干什么？”

不待张浩说话，门外突然传来一声带哭腔的呼喊：“老师啊——”我转头一看，张浩的奶奶满脸悲戚，手里拎着一只被拔光毛的大母鸡站在门口！

开学以来常有这样的事，在台上你正讲得起劲儿，窗口、门外突然会传来惊天炸雷：“山娃，把钥匙给老子扔出来！”“二妹，下雨了，妈把伞放在这儿了！”说是煤矿子弟学校，其实和乡间学校没什么区别，校门大敞，任何人任何时候都可以进来。

张奶奶痛惜地把鸡抱在怀里向我哭诉：“今天中午张浩一回来就让我杀鸡，我说这只鸡正下蛋呢，不能杀。他哭了一阵子，我以为这事就算完了。可刚才我去鸡窝捡鸡蛋，一看鸡竟然成了这个样子！张浩，你出来，我今天非揍你不可！”

我厌恶地看看那只鸡，皱起了眉，朝她挥挥手说：“张奶奶，您回家再教训他，我们现在要上课。”然后将她请出门外。

我敲一下张浩的脑袋：“下课后把鸡毛捡干净，今天教室的卫生也由你打扫！”

放学后，我坐在办公室备课，刚写了两行字，门口就挤满了学生，我说：“还不回家，在这儿干什么？”

“老师，张浩在哭，哭得好伤心哟！”

我叹口气起身回到教室。张浩果真边捡鸡毛边呜呜地哭个不停。

“你还挺委屈的！再怎么说你也是个中学生了，想吃鸡你就那样做？你知不知道这是摧残动物呢？要是在国外，早被动物保护协会的人告上法庭了……”

“谁说我要吃鸡!”张浩哭得更凶。

我奇怪地看了他一眼:“那你拔鸡毛干啥?”

张浩边哭边说:“我爷爷说,把母鸡的毛泡在开水里,用那水涂在老师的手臂上,能治漆过敏……”

我愣了,好一会儿才抑制住涌上来的泪,拍拍张浩的肩:“对不起,老师错怪你了……”我蹲下身,一根一根地捡满地的鸡毛,身边的学生也一个个弯下了腰……

晚上,我把手臂泡在满是鸡毛的热水里,忍着冲鼻的腥味一次次洗着红斑。同寝室的女老师笑着说:“你还真信了!”

“不试怎么知道有没有效果?”那天经历的一切,让我心里有种说不出的感动,我幸福地叹口气说,“单是学生的爱心就会感动上苍让我快快好起来……”话音未落,响起了敲门声。

开门一看,是张浩和他奶奶。张奶奶一见我,忙把提着的一个保温瓶塞到我手里:“老师,我听浩娃说了,他做得对,我不该骂他……您快趁热吃,才炖好的!”

我看看手里的保温瓶:“这是……”

张浩抢着说:“是那只大母鸡嘛,奶奶说,莫说是鸡毛,早晓得老师有病,昨天就该把鸡炖了给老师送来……”

“我……我不过是皮肤过敏,医生说……”话没说完,我的泪就流了出来。那是我长大后第一次当着外人的面流泪。

对面的女孩

○梁　丰

新兵训练结束后，石坚被分到通信总站警卫排，成了一名哨兵。尽管与期望中的技术兵有很大差距，但石坚还是感到很庆幸。毕竟，自己是从农村出来的，没见过什么世面，也没有什么关系；毕竟，军营坐落在省城边上，离军区机关不远，能经常看到许多大官出入。而且，还有很重要的一点，营院里有女兵，能天天看到那些叽里呱啦的丫头片子，热闹！比起那些分到山窝窝里只能看山、看树、看鸟的战友，石坚满足得很。

石坚是在下连后第二天上岗站哨时，忽然发现营区对面有家鲜花店的。门口摆放的两个大花篮和成串的彩色气球，炫耀着花店的红火兴隆，也吸引了站在哨位上的石坚的目光，店名叫心语花店。乖乖，好诗意的招牌！隔着马路，他瞄到一位清纯漂亮、长发飘飘、和花店名一样富有诗意的女孩时不时地站在店门口朝对面观望。一连几天，他都瞄到只有那女孩一个人进进出出招徕顾客。他想，这大概就是心语花店的老板吧。

哨位上的石坚没法不往对面的花店瞄。嘿！竟有这么漂亮的女孩，那皮肤、那脸蛋儿、那身材，可比长话连那些女兵们靓多了，别看那些丫头片子叽叽嘎嘎的，在人面前昂首挺胸俨然是军中公主，这女孩要是穿上军装呀，她们不忌妒死才怪！当然，她还是不穿军装的好，穿了军装，那头飘飞的长发就得剪掉，岂不太可惜啦！尖尖的高跟儿鞋也不能穿了，再跑跑五公里越野、翻翻400米障碍什么的，那腰身一准也粗啦……石坚阻止不住自己瞎想、瞎比较，这种瞎比较、瞎想，竟让他单调枯燥的站哨时光过得飞快。

石坚是在周末的傍晚走进心语花店的。他整了整崭新的列兵服迈进门槛。店面不大，此时也没有生意，女孩一个人在店里修剪花枝上枯败的叶子，见他进门，便送来一脸微笑："欢迎光临心语花店。"甜甜的笑脸甜甜的声音让石坚心里充满了甜甜的感觉，却突然间又万分慌乱起来，他一时不知该对这张早已熟悉的漂亮的面孔说什么好。

"送你一朵玫瑰花，祝你天天好心情！"女孩递上一朵玫瑰，他看到娇艳的花瓣上闪动着晶莹的水珠，浓浓的馨香顿时沁入心脾。"啊，真香！"他不由得将玫瑰花举到鼻下嗅着。在家乡，在田间，野花、种植花有的是，母亲就在自家院子里养了不少这样的玫瑰，可他还从没有这样地嗅过什么花，也没有跟花培养起什么感情。"祝你天天好心情！"——这句老套的听过无数次的广告词，今天听来却格外富有韵味。

"我叫辛雨，辛勤的辛，下雨的雨。""我叫石坚，岩石的石，坚强的坚。"石坚连忙接上介绍了自己。其实，有了几天来的对望，石坚感觉他们是老朋友喜相逢了。

没想到，辛雨很健谈，她也像老朋友一样地没几分钟就把自己的情况都对他说了。她说她的花店刚开张，大学没考上，想去当兵，却没有这样的幸运。她说她不怪别人，只怪自己不争气。她的父母是开花店的，让她跟着管理花店，她不愿意和父母在一起，就自己开了这家花店，之所以开在军营对面，就是想天天都能感受到军营的气氛。

石坚听得很感动，也生出困惑。自己的情况与她的相似，考大学就差了那么几分，他不愿再过饭来张口衣来伸手的日子，所以参军到了部队。呀，这实在是个不轻松的话题！石坚站在那儿，突然间就一阵沉默。

辛雨还在对他这位新兵表达着对军营的向往和羡慕。"开花店多好，让人心情愉快，生活充满诗意。保不准两年后我退伍了，也要在我生活过的军营旁边开家花店。”石坚不知道自己为什么这样说，是安慰她，还是为了拉近彼此的距离？他说不清楚。

走出花店，石坚觉得有一种莫名的东西冲撞着他的心扉。辛雨追出门，喊：“能不能送我些子弹壳？我想做风铃。”

用子弹壳做风铃？石坚摇头笑了笑，答应着，匆匆朝营区走去，手中的玫瑰花随风飘散着香气。

太阳落山了，夜幕已经笼罩了营区，远远地，他望到了班里的灯光，听到了战友们的嬉笑声。他嘱咐自己，回去后一定告诉战友们，下次打靶时，要记得帮对面那个叫辛雨的女孩捡些子弹壳。

护旗手

○蔡 楠

李志这两天经常往我的办公室来，而且一坐就是半天。有时候端着我送给他的宜兴紫砂壶“咕噜咕噜”地喝茶水，有时候坐在椅子上眼睛一眨不眨地瞅着我。瞅得我心烦的时候，我就大声对他嚷嚷，喝够了茶水，你就回家歇歇，别总瞅我了行不？我还要工作呢！

李志也不脸红，他嘟哝着，我没瞅你，我没瞅你！

那你瞅谁了？

我瞅墙了。李志说着，还在瞅我。我知道他的眼神出了毛病。像他这种岁数的人眼神一定会出毛病的。

我放下了手里的开业庆典计划，从老板椅上站了起来。我说，你自己在这里瞅墙吧，墙上说不定有金子呢！

李志也不生气，我站起来，他也站起来，不过他没我站得利索，他还要扶着一个叫拐棍的东西。我走到我公司宽阔的院子里，我在院子中间站定。我等着李志。然后要让司机送他回家。可李志挪到我的身后，死活不走。他说，李舟公司快开业了，你这里缺点东西。

缺什么呢？你看那面是厂房，那面是宿舍，刚才我们出来的地方是办公楼，还有停车场、警卫室，还有工人活动中心。你说缺什么呢？

李志说，不但你这里缺，而且你的墙上也缺！

那你说到底缺什么呢？

李志不说。李志按照自己的思路说别的。李志说，我见过毛主席，我是咱们县里唯一见过毛主席的人。

我吃了一惊，赶紧让秘书从屋里拿过一把椅子来，我怕李志突然得病，我让他坐下说，他却倔强地拄拐而立，我这些年来一直也没和你说过，谁也没说过，我是新中国第一面国旗的护旗手。

哈哈！我围着李志转了两圈，摇摇头，你17岁跟着杨得志当兵我倒知道，但从不知道你还当过护旗手！

对，我当兵是1946年的事。在冀察晋野战军第二纵队宣传科。1948年12月，党中央着手组建京津纠察总队，我就调到了总队一大队。1949年9月30日，解放军总政治部主任肖华向一大队要四名战士。我被挑上了，我就成了护旗手。

李志说这些话的时候，眼睛有些发亮，他说得很顺畅。挑上以后，我就见到了毛主席。那是10月1日，中华人民共和国开国大典在天安门广场隆重举行。当朱德总司令宣布鸣礼炮、奏国歌、升国旗后，毛主席在城楼上亲自按动电钮，鲜艳的五星红旗徐徐升上天空。那时我就在广场电动旗杆下面做护旗手。和我一起做护旗手的那三人都没有我幸运。因为我是真正的护旗手，他们都是看旗手。

我问，怎么能这样说呢？

李志说，你别打断我。当毛主席按动按钮，国旗即将升起之际，红绸旗帜太大，那天还有东南风，红旗一时缠裹着拖挂在旗杆基座上，是我迅速跑过去将旗面舒展开，然后向上一抖，那国旗就“呼啦啦”借着风势飘扬起来……

我和李志认识这么多年，只知道他是个老农民，只知道他把土地当命根子，只知道他抠，就连我在他这一亩三分地上建工厂开公司他都不让，土地局我都跑下来了他都不让，还是我托村主任李元从中说和，拿钱让他去北京旅游了一圈。趁着他不在家偷着盖的。他回来后，我的厂房已经戳起来了。他一言不发，佝偻着身子，围着我的厂房转了几圈，在向阳的一个地方种上了一颗白杨树。他说，李舟你欺负人。你盖房子，我种树，死了我就埋在这里看你，看你有什么好下场！我就又给李元一部分钱，让他天天哄着李志，看着他，别来我的公司闹。

可他这两天经常往我的办公室来。来了没闹，竟然给我编起故事来了。我真没想到，李志都80岁了还会编故事。我不屑地说，你编得很好，可你那么风光过，怎么没混个一官半职呢？

李志噎住了。半天才说，新中国成立后，我转业回来，市里给我安排了工作，后来响应党的号召，我回乡务农了。我也没想到我一回乡就是60年。

李志的老眼里竟然有了泪花，其实60年务农我倒没觉得有什么不可。我开始当村干部，带领全村人大干社会主义，互助组、合作社，三年自然灾害，“文化大革命”，一直干到改革开放。我没有离开过土地，我也没让我的村民们离开过土地。后来，李元那小子接了我的班，他就不安分了。开始是把庄稼地变成了果树园，后来又把果树园变成了开发区。这不现在，你又在我曾经开垦过的土地上盖了工厂，盖了厂房。这原来是一片乱丧岗子，我可是平整侍奉了十几年，才变成水浇地的……

李志喘着气，用拐棍戳着地，我知道这些都已经改变不了了。我也知道这样变下去是件好事情。可我还是觉得你这里缺点什么，你办公室的墙也缺点什么！

我走到李志的跟前，扶他坐在椅子上，坐在阳光里。我说，你就别卖关子了，你说还缺点什么吧？

国旗！你要在你办公室的墙上挂一面国旗，你要在你这公司院子的中心立一根旗杆，开业那天要举行升旗仪式。我……我还想当一次护旗手！

我一下子抱住李志，我轻轻地拍着他的肩膀，像拍着一个婴儿。

我的公司盛大开业了。我和我爹李元搀着李志走到了高高的旗杆下，我对环绕着我们的嘉宾大喊：下面举行升旗仪式，由我爷爷李志同志护旗！

活着的手艺

○王　往

他是一个木匠。

是木匠里的天才。

很小的时候，他便对木工活儿感兴趣。曾经，他用一把小小的凿子把一段丑陋不堪的木头掏成了一个精致的木碗。他就用这个木碗吃饭。

他会对着一棵树说，这棵树能打一个衣柜、一张桌子。面子要多大，腿要多高，他都说了尺寸。过了一年，树的主人真的要用到这棵树了，说要打一个衣柜，一张桌子。他就站起来说，那是我去年说的，今年这棵树打了衣柜桌子，还够打两把椅子。结果，这棵树真的打了一个衣柜、一张桌子，还有两把椅子，木料不多不少。他的眼力就这样厉害。

长大了，他就学了木匠。他的手艺很快就超过了师傅。他锯木头，从来不用弹线，木工必用的墨斗，他没有。他加的榫子，就是不用油漆，你也看不出痕迹。他的雕刻才真正显出他木匠的天才。他雕的蝴蝶、鲤鱼，让那要出嫁的女孩看得目不转睛，真害怕那蝴蝶飞了，那鲤鱼游走了。他的雕刻能将木料上的瑕疵变为点睛之笔。一道裂纹让他修饰为鲤鱼划出的水波或是蝴蝶的触须，一个节疤让他修饰为蝴蝶翅膀上的斑纹或是鲤鱼的眼睛。树死了，木匠又让它以另一种形式活了。

做家具的人家，以请到他为荣。主人看着他背着工具朝着自家走来，就会对着木料说："他来了，他来了！"

是的，他来了，死去的树木就活了。

我在老家的时候，有段时间，常爱看他做木工活儿。他快速起落的斧子砍掉那些无用的枝杈，直击那厚实坚硬的树皮，他的锯子自由而不屈地穿梭，木屑纷落；他的刻刀细致而委婉地游移……他给爱好写作的我以启示：我的语言要像他的斧子，越过浮华和滞涩，直击那“木头”的要害；我要细致而完美地再现我想象的艺术境界……多年努力，我未臻此境。

但是，这个木匠，他，在我们村里的人缘并不好。

村里人叫他懒木匠。

他是懒，除了花钱请他做家具他二话不说外，请他做一些小活儿，他不干。比如打个小凳子，打扇猪圈门，装个铁锹柄……他都回答：没空儿。

村里的木匠很多，别的木匠好说话，一支烟，一杯茶，叫做什么做什么。

有一年，我从郑州回去，恰逢大雨，家里的厕所满了，我要把粪水浇到菜地去。找粪舀，粪舀的柄坏了，我刚好看见了他，递上一支烟：你忙不忙？他说不忙。我说，帮我安个粪舀柄。他说，这个……你自己安，我还有事儿。他烟没点上就走了。

我有些生气。

村里另一个木匠过来了，说：“你请他？请不动的。没听人说，他是懒木匠？我来帮你安上。”这个木匠边给我安着粪舀柄子，边说走了的木匠：“他呀，活该受穷，这些年打工没挣到什么钱，你知道为什么？现在工地上的支架、模具都是铁的，窗子是铝合金的，木匠做的都是这些事，动斧头锯子的少了。他转了几家工地，说，我又不是铁匠，我干不了。他去路边等活儿干，等人家找他做木匠活儿，有时一两天也没人找。”

我说：“这人，怪。”

我很少回老家，去年，在广州，有一天，竟想起这个木匠来了。

那天，我躺在床上，想着自己的事，一些声音在我耳边聒噪：

——你给我们写纪实吧，千字千元，找个新闻，编点故事就行。

——我们杂志才办，你编个读者来信吧，说几句好话，抛砖引玉嘛。

——你给我写本书，就讲女大学生网上发贴要做“二奶”的。

我什么也没写，一个也没答应。我知道我得罪了人，也亏待了自己的钱包。我想着这些烦人的事，就想到了木匠。他那样一个天赋极高的木匠，怎么愿意给人打猪圈门，安粪舀柄？职业要有职业的尊严。他不懒。他只是孤独。

去年春节我回去，听人说木匠挣大钱了，两年间就把小瓦房变成了两层小楼。我想，他可能改行了。我碰见他时，他正盯着一棵大槐树，目光痴迷。

我恭敬地递给他一支烟。我问他：“在哪儿打工？”

他说：“在上海，一家仿古家具店，老板对我不错，一个月开5000元呢。”

我说：“好啊，这个适合你！”

他笑笑说：“别的不想做。”

俊　嫂

○刘建超

“你嫂子，那叫一个字——俊！”马哥说这句话的时候，一手托着下巴，一手夹着烟，眯缝着眼，轻轻地晃着身子。

马哥又说：“深山出俊鸟，知道不？你嫂子可是我们那儿方圆几十里的一只俊鸟。这么跟你说吧。村主任，厉害不？他当初就看中了你嫂子，下了聘礼。你嫂子对他就是一个态度，嘿嘿，不甩！气得村主任骂爹喊娘，说看谁敢娶你嫂子。吓谁呀？你嫂子就认准我了，一分彩礼没要，嫁了！嘿嘿，好汉娶不到好妻，癞蛤蟆娶了个娇滴滴，你嫂子这朵鲜花就心甘情愿地插在我这堆牛粪上了。”马哥手里的烟，挂着长长的烟灰似落非落，袅袅烟雾笼罩着马哥幸福的脸。

我问过马哥，嫂子恁俊，咋不带来让我们见见？马哥捏灭了烟，说：“媳妇儿是留给自己看的，那些影视明星和光屁股的模特儿才是供大家看的。你小子要是找媳妇儿，一定要让我给你把把关。低于你嫂子的标准，嘿嘿，免谈！”

三·八妇女节单位组织活动，把我们几个单身汉也拉去凑热闹。我参加活动还得了个第一名，女工主任发给我两样奖品：一瓶沐浴露，一瓶洗发液。我把奖品给老马，让他带给嫂子。老马拿起沐浴露，眯缝着眼睛看了看，不屑地说：“你嫂子才用不着这些玩意儿。你嫂子的皮肤像九月里的嫩玉米，掐着就出水。她身上的味道香香甜甜，我一闻就跟喝了兴奋剂一样。我咋舍得用这些化学药品去污染你嫂子呢？你嫂子那叫啥？天生丽质，绿色的，知道不？嘿嘿。”马哥嘴里那样说，月末回家时，还是把两瓶“化学药品”仔细地放入包中带走了。周一上班，马哥给了我一双布鞋和几双绣花鞋垫，说：“你嫂子让我捎给你的，说你心眼儿好。快试试合脚不。”布鞋穿在脚上很舒服。马哥灿烂地笑了：“我就知道合适。我就比画了一下你的身高，你嫂子就做出来了。嘿嘿，你嫂子可不是那种绣花枕头似的女人，中看不中用。村里人结婚贴红双喜字，就你嫂子剪出的红喜字显得喜庆吉利。年轻人娶媳妇儿，都向你嫂子讨喜字。”

我真羡慕马哥。

马哥说：“有空儿我带你回山里，见见你嫂子。”

车子在崎岖的山路上颠簸，我也随着车身剧烈地摇晃，心中忐忑。马哥的家在八十公里外的山村。

马嫂出现在我面前时，我心中好大的疑惑，这就是马哥每天挂在嘴边俊过来俊过去的嫂子？这与马哥的描述和我心里想象的嫂子距离也太大了。

马嫂太一般了，典型的农村妇女的打扮。刚喂完猪，双手还抱着个陶罐，满脸疑惑地望着我们。我说明了情况，马嫂手中的陶罐摔了下来，满地都是碎片。

回城的路上，马嫂紧咬嘴唇，不哭出声，任眼泪在脸上纵横。

“你马哥，他怎么走的?”嫂子问。

“车祸。”我说，“马哥出差，回来的路上遇到暴雨，客车翻进了路边的深沟。马哥本来已经逃出了车厢，为了救车里的一个孩子，马哥又钻进了车厢，结果客车在雨水的冲击下又翻了个身，马哥就被砸在了下面。乡卫生院没有血浆，又往县医院送，因失血过多，马哥他没撑住。”我拿出一个粉红色的发卡：“嫂子，这是马哥交给我的。”

嫂子凄惨地笑了一下，说：“我只是说，村主任家女人有这么一个发卡，挺好看。你马哥说他村主任家的女人能戴得，咱也能戴得。”马嫂默默地把发卡别在稀疏的头发上。

处理完马哥的后事，我要车送马嫂回家。马嫂说：“这几天忙坏你们了，别送了。我这几年都没进城了，我想自己在你马哥上班的城里转转、走走，搭上车就回去了。”

下午，我去市委送个材料，路过中原大厦，忽然看到马嫂，她右手按着左胳膊，刚刚从义务献血车上下来。

“嫂子，你……你献血了？”

“刚好碰到这车。你马哥当初要是有我这几管子血，兴许就不会走了。”马嫂的脸上没有遗憾，红红的脸颊露出了灿烂的微笑。

马哥，嫂子真的很俊！

王二的事

○柴　静

王二好像是1973年的，东北人。

大家都拿他的样子开玩笑，他自己也说："早上洗了脸，没戴眼镜，一转头看见镜子，差点对着自己喊大爷。"

有天在地铁里，他死盯着一个姑娘看，最后那姑娘终于犹犹豫豫地站起来，要给他让座。

他做过广播，也写过东西。身无分文的时候来做电视策划，刚好又赶上青黄不接的时候，很受了一阵子钱的苦，所以日子过得有点紧。

我见过的他唯一的随身用品是一个中央电视台发的纸袋，里面装着游泳衣。在南院餐厅吃完免费的两餐，游完免费的泳，然后回家，看五张盗版DVD，睡觉。

日日如此。只不过纸袋子旧了，又领个新的换上。工资都存在建行。他自己说每天去坐地铁的路上看到建行的大招牌，都有一种"深沉的幸福感"。

他生活中的高潮发生在三亚的时候，十几名男人同躺在海滩上，一个三四岁的俄罗斯小女孩，淡黄色头发，极可爱，人群中独独跑向他。

他紧紧地绷着嘴角的笑，用眼角扫着其他男人的脸色。

小姑娘先是一把拉下他的眼镜，扔到海里。他挣扎着想要起来。

小女孩"扑通"坐在他肚子上欢喜跳跃，一下一下。

他狠狠地忍着。

回来的时候肋骨断了。我们开会的时候，看到他纸袋子里装着胸透的片子。

王二是学中文的，在我们内部刊物上写文章，题目代表他的梦想，叫《饭在锅里，人在床上》。在做新闻的人看来，难免要被人讥笑。

开会谈节目，他一开口，一屋子人就摇头笑他是“人文主义者”。别人都做时事类节目，元首访问之类的，讨巧也好做，他偏做生僻的，有一期叫《哥德巴赫猜想》，是说有一个民间研究数学的人，毕生之功去研究哥德巴赫猜想。专业人士和普通人都觉得他可笑，但他在节目中说“小人物也有权利发出自己的声音”。

别人笑，王二只自嘲，从不反击，也未见他对人凶恶过，有时候甚至近于怯懦。我以为他以君子自命，他只说：“道德，不是全无弱点，而是看清它，然后抑制它。”

年前聚餐，在一个吃东北菜的地方，都喝得有点多了，有人大声呼喝，有人往地上砸瓶子。

他也喝高了，摇摇晃晃地蹲在地上捡碎片。我也蹲下身去捡的时候，听见他嘟嘟囔囔：“什么是人文主义者？人文主义者，就是不往地上砸瓶子。”

有次他给我看一张照片，一眼看上去，我就被那张照片打了一下。上面是一个拉二胡的盲人乞讨者，在这个城市里随处可见。有个人正俯身向他的缸子里放下一枚硬币。这个人，是一个满头白发的老妇人，衣衫褴褛，也是一个乞丐。他把这张照片放在办公室的电脑屏保上，放了很长时间。这次很奇怪，没有人笑，也没有人换。

我后来做调查记者，与他分离，愈行愈远，也不再多见。

我在文章里写过“有一次从湖北采访回来，采访对象是几个乡村教师，他们被认为是投毒嫌犯，被警方刑讯逼供，手脚捆在椅子上，用电击，嘴被用拖把堵住，四天四夜”。

我去派出所的时候三年都过去了，当年审讯的值班室已废弃，都是尘土。

我从墙角的麻袋里随手抽出一块当年挂在门上的牌子——“责任区办公室”，洗干净带回来放在办公桌上。

节目播了，就过去了，但总有些留下来的东西，让我想起他们泪流满面的脸。

忽然想起有人当初说过的一句话“记者就是记着”。这人就是王二。

终于约他出来，他一切未变，只是手里的纸袋子换成了新闻会客厅的。一桌旧同事，笑他“饭在锅里，馊了；人在床上，老了”。他也跟着大笑。然后乘兴，呼一下站起来：“来，相信爱情的人，干杯！”大家哄笑。没有人端杯子，他也不恼，自己一饮而尽。

在传媒这样一个日渐富贵气逼人的江湖中，有王二这样的人，不合时宜地存在着，总让人觉得不那么孤单。

马涛鱼馆

〇蔡　楠

渔船像口锅，翻扣在千里堤上。马涛也顾不得锅底的黑，就一屁股坐在了锅上，一边抹着汗一边对旁边气喘吁吁的马柱说，淀干了，爸！

是干了。马柱还在猫腰撅腚地擦拭船上的泥土，头也没抬。他想在船上涂一层油漆。爷儿俩刚刚把船从白洋淀里拖到了岸上晾晒。

你涂漆也没用，淀干水净，没鱼了，船也没用了。马涛眯缝起眼睛瞅着越来越强烈的阳光，这死老天爷，也不下场大雨，莫非让人心也要干透了？

马柱没听儿子抒情，拿着油漆瓶子和毛刷过来说，马涛你起来。

我起来干吗？马涛依然瞅着阳光，他已经瞅出了一个花花绿绿的世界。

你起来我刷漆！

你刷吧，我起来你刷吧！你好好刷！马涛说。

可我起来，我就走了。马涛又说。

你走我也得刷。我就不信这白洋淀不来水！马柱拽了儿子一把。

马涛就起来，从堤坡的小柳树上摘下他那件红色的衬衣，头也不回地走了。

马涛去了县城。离开了水的马涛徘徊在阳光下的城市里，感觉自己像一条行走在岸上的鱼。城市也是干的，城市里没有港汊，没有芦苇，更长不出荷花来。马涛把那件红色的衬衣脱下来，用手举过头顶，开始在大街上奔跑。衬衣就在风中铺展成一朵硕大的荷花。

能制作荷花的马涛在一个烹饪培训班里学习。不久，他应聘到一个单位做厨师。一天一顿午饭，马涛的活计就很清闲。干完活儿，还可以到传达室和警卫、保洁工聊天儿看报，侃侃世界杯什么的。马涛就觉得自己也成了单位的人，甚至产生了转正、找个城里对象的想法。他把这想法和食堂服务员温小暖说了。温小暖就笑着说，马涛你可真逗，你要是能转正，我他妈都当局长了。马涛听了这话，像泄了气的皮艇，一下子蔫在了水面上。

温小暖的打击刚刚过去，单位就换了个领导。新领导一上任就约法三章：全体职工中午一律回机关吃饭；有宴请也要在食堂安排；食堂要一天一个菜谱，保证饭菜的多样化。

吃饭的人多了，马涛就变得忙碌起来，再没有聊天儿看报侃足球的时间了。忙倒没关系，问题是众口难调。这些官老爷在外面吃顺了嘴，回到食堂不习惯，不是熬菜嫌咸了，就是做鱼嫌淡了，絮絮叨叨的指责让忙得一头汗水的马涛心里冷冷的。最不能忍受的是那天新领导的发火。那天本来领导吃得胃口挺好，还和大家有说有笑的。可吃着吃着就皱了眉，他从嘴里拽出了一根金黄色的头发。领导就把筷子啪地一摔，马涛你看这是什么？是不是白洋淀里的草？我要扣你的工资！

被扣工资的马涛就辞职不干了。临走前，他拿过一把大剪刀，找到正在午休的温小暖，咔嚓咔嚓把她染得金黄色的长发剪了个精光。

马涛又行走在城市的阳光里。他又一次把那件红色的衬衣举过头顶，让它招展成一朵盛开的荷花。招展完了，这朵荷花就飘落在黄家鱼馆的屋顶上。

黄家鱼馆的老板收留了马涛，喜欢上了马涛，并把家传的全鱼宴制作秘方传给了马涛。一时间，马涛成为全鱼宴的名厨。在他的主厨下，黄家鱼馆成为县城一个热闹的去处。

在品尝全鱼宴的人流中，温小暖来了。马涛看见她的头发长出来又染成了金黄色，像一条黄花鱼。跟在黄花鱼后面的竟然是单位的新领导。那天，马涛亲自给他俩上的菜。马涛笑吟吟地对领导说，领导，你不是不到外面吃饭吗？怎么还带了个俄罗斯小姐呢？

领导就十指交叉地笑着，马涛是你小子呀！这不是什么俄罗斯小姐，她现在是负责后勤的温主任，我带她是来向你学习的！

马涛就把一条红烧鲇鱼端到了他们面前。他在鲇鱼肚子里填上了一团头发。

马柱终于在黄家鱼馆里找到了马涛。那时马涛正和黄老板的女儿黄春健高兴地数钱。马柱啪一下就给马涛一个脖拐儿，你小子在这里玩开心了，我和你娘想你都想疯了！

马涛就被扇蒙了，被扇乐了。马涛对春健说，这是咱爸，你快去倒水！

爸，你早不来晚不来，偏偏在这鱼馆红火的时候来。你来了，我就该回了！马涛把钱放好，捂着半边脸说。

小子，白洋淀来水了，我那渔船又可以下淀捕鱼了——

马涛站起来，撇撇嘴，就你那破船？早过时了。我要买一艘快艇，还要把咱家临堤的房子拆了，盖个饭店。告诉你，不叫黄家鱼馆，也不叫马柱鱼馆，就叫马涛鱼馆！你说行不行？

你是说你答应回家了。马柱举起手来，又给了马涛一脖拐儿，不过这次没扇响。

马涛点点头，把马柱摁在了椅子上，望着鱼馆外面的车流人流和高楼大厦，慢慢地说，爸，城市好，可城市是别人的城市，不是我的。我的家在白洋淀，在千里堤上。

一个月后，风生水起的白洋淀边，荷香飘逸的千里堤上，马涛鱼馆正式开张迎客了。

一个作家的成本

〇方英文

文友老何，与我相交二十余年了。除去中间他经商、办厂的几年外，我们差不多每隔几天的某个晚上，便要见一次面。多半无正事，无非吃茶下棋谈文学。可是他来的方式，总是非出租车不动身，还感慨道：如今的世道好啊，满街都是咱的司机！我建议他不要动辄打的，乘公交车就好嘛。我的理由是：君与吾皆工薪平民，上有老下有小的，哪来家底挥霍呢！老何讥笑我不该把人生弄成了计划经济："活一天就少一天，活一天就要舒服一天。"此等人生观，你也不能说它荒谬。我只好闭嘴。

其实在20世纪末，至少有7个年头儿，我是一次公交车也没坐过的。那时候精力旺盛，可以同时在几家报刊开设专栏，稿费收入还算可观。加之特爱麻将，却十打九输，散场后很憋气，就拦出租车以分流幽愤，暗忖：输了那么多钱，还在乎十几元出租车费吗？偶尔赢一回，更要打出租车了——算是朋友们请我啦。后来，由于单位不怎么景气，久盼房子而落空，便凑钱借贷买房，姑且算自己给自己落实政策。下决心前，先冲着镜子里的自己，不无自恋地"考察"道：你这个同志哥哟，虽说才能不济，然品行尚可；所以你的住房嘛，就参照副部级吧。自己提拔自己，省事。

就买了一套比较大的、可以观赏秦岭的房子。自拿到钥匙的那一刻起，立即戒掉麻将，更不坐出租了。想想看，背一身债务，还玩牌，出门还打的，算什么鸟人！过日子无法统一标准，但要根据自己的能耐，具有起码的“成本意识”。而老何呢，却没有这个意识。他这个人，块头甚大，嗜好又全面，从头至脚，没有哪个器官不费钱的。他是作家，却未能骗来大名，因此卖文所得是不难想象的。就按一篇短文百元稿酬计算，我们先来看看它的生产与销售过程吧。

老何很讲究文字的真情实感，情绪酝酿不到泪囊沸腾时，他是不动笔的。完成一篇千字文，稍事休息，再修订打磨，便可以灭灯了，因为窗帘业已泛白。整个过程需要吸烟两包，按10元计。如今的报刊编辑很懒，除非名家，“手工文章”一概拒收。所以老何得将完成的稿子拿到街上打印部，费用5元又去也。他没有电脑，也不会发邮件，就怀揣磁盘，打车，亲自送到报刊社，往返车费，20元吧。到了报刊社，掏出磁盘，插进编辑电脑里，打开屏幕，展览出自家的“乖儿”，那个好看呀！忍不住朗读起来，并将那不乏精彩的句子，自我诠释一番。可那编辑的表情呢，似乎礼貌的成分居多。也难怪，文章可比不得歌会，再好的文章也历来是要独自方可品出味道的。老何难免歉意，就邀请编辑：“吃顿便饭吧。”

老何爱交朋友，是个慷慨厚道人，本身又喜欢来几盅，所以这顿“便饭”要花多少钱呢？不能较真。为了避免核算出一个相当惨烈的数字，这顿“便饭”权且以50元核算。于是我找出计算器，当面替他计算——这篇价值百元的千字文，前期投资高达85元，纯利润仅仅一杯扎啤！难怪他当初经商办厂不赚钱，还赔个一江春水流不到头，原因就在这儿。

老何吃惊了，说：“哎哟，真得讲成本啊！”看他挺懊丧的样子，我马上补充道：“坐不坐出租，也不能一概而论。假如你出门是替跑官者牵线搭桥，或者倒腾字画，那就可以毫不迟疑地打的——暴利嘛。”

自此，我们的老何同志，战胜了最初的虚荣心，告别了出租车，并且日益习惯甚至痴爱公交车了。我们一见面，总是首先交流公交车上的观感，那真叫一个好。究竟好在何处，我将另文陈述。

谢谢你教我

〇徐慧芬

山草呆住了，这上好的瓷瓶怎么会如此脆弱——就这么轻轻一抹，竟会碰掉一块！这是一只德化薄瓷瓶，造型十分别致：一段老竹，逸出一枝新篁，一只麻雀停在枝头，似在鸣唱。

她刚来时，主人家就关照过：挪动、擦拭这些瓷器时要小心点儿。这是家里多年的收藏，虽不十分值钱，却是他们的喜好。

现在，麻雀的一扇翅膀却被她弄折了，碎片滚落下来，山草似乎听到了麻雀的哀鸣，以至，这哀鸣声久久在她心中回荡。

女主人惊讶了好一会儿，只说了这么两句：你怎么这么不小心？毛手毛脚的！男主人看到碎片，俯身拾起后只重重地叹了一口气，并没说什么。可是，山草总也不能原谅自己。

一个月做下来，山草觉得这对夫妇有学问，待她挺好的，工资比别家给她的高些，人也和气，不摆架子，家务上有些事还会同她商量。他们曾告诉过她，在她之前，找过几个都不合意，他们看上她这个山妹子，主要还是她的朴实和勤勉。

现在，由于她的疏忽，竟将他们的心爱之物弄坏了。怎么办？怎么办？神思恍惚的山草晚上在洗碗时，听到瓷碗碰在一起的声音，眼泪又淌了下来。想来想去，也只有用她的工资来抵偿，不知行不行。她擦掉眼泪，怯生生来到还亮着灯的主人书房里，嗫嚅着说明意思。

你说用这个月工资抵吗？可你怎么向家里交代？家里生病的母亲不是等着用钱吗？再说，这只瓷瓶是我们一位朋友的馈赠，能用钱估价吗？即使按市场价，你两个月的工资也不够啊！听主人这么说，她急得眼泪哗哗直流。“好了，不要哭了。放心吧，山草，我们不要你赔。”女主人拍了拍她的肩膀，“但是，为惩罚你的粗疏，我们还是要象征性地扣掉你十元钱。这十元钱赔偿是想让你记住，以后做事一定要认真仔细。人在外面讨生活，很不容易，好的习惯，会帮助一个人走向成功。就像我们的女儿，小时候读书做题很粗心，我们花了好长时间才帮助她克服了这个毛病……”这一晚，在主人的教诲下，山草的心受着感动。

谁也不曾想到，第二天，主人读大学的女儿回来听说此事，不好意思地向父母坦白出来，瓷瓶是她不小心碰坏的，她见麻雀翅膀断了，就找了胶水粘住，再转到里面去。她当时想，省得父母知道了心疼，还要责怪她，所以就没说。

夫妇俩嗔怪了女儿后，觉得有些对不起山草。他们把事情真相告诉了山草后，问她当时为什么不申辩一下。山草说：“阿姨、叔叔，当时我也觉得奇怪，怎么抹布轻轻抹了一下，就碰坏了呢？可是我真的这么说了，你们会相信我吗？”

两位主人沉默了好一会儿，男主人点点头说：“是的，山草，你这么说，也许我们会不相信，但事实是这样，确实不是自己的错，你就要坚持维护自己的利益，你不要管别人相信不相信。如果自己不坚持，就容易受到更多的伤害。你上过初中，读过俄国作家契诃夫的小说《柔弱的人》吧？生活中可不能一味柔弱啊！”

半年的时间很快过去了。山草的亲戚在乡下办了个加工厂，山草的父母让山草回家乡去上班。山草依依不舍地告别了主人家。回到家乡后，她写信给这对知识分子夫妇报平安，并感谢他们对她的照顾和关心，感谢他们教给她很多知识，让她懂得不少做人的道理。在信末，山草又加上这么几句话：叔叔阿姨，还有几句话我不知该不该讲——我刚来时在打扫卫生时发现床下有一张百元钱，沙发背后有两张十元钱。我想，也许是你们放在那里，考验保姆的吧？如果以后你们再找保姆，我希望你们不要这么做……

伤　口

〇周海亮

他坐在正午的阳光里，面前的铁架上绑一只白晃晃的口琴。他的额头和脸颊上挂着亮晶晶的汗水，他微笑着，尽量用口琴吹出悦耳并且连贯的曲子。可是那曲子并不连贯，断断续续，调子甚至跑出很远。他端坐着，脸上露出一丝歉意，口琴声却并不停歇。旁边放一个红色的小塑料桶，偶尔有行人走上前来，往桶里扔一张零钞或者一枚硬币。他并不看行人，更不理会那个塑料桶。他只顾吹他的口琴。可是他的脸上分明有了感激，对好心人，对一张零钞或者一枚硬币。

和着曲子，他的脸上表情丰富。人们注意到他肘部以下的袖筒空空荡荡，那袖筒随着他身体的微小动作而轻轻摆动。

男人带儿子横穿过马路，站在不远处听他吹口琴。男孩说那里有个人在“演奏”。男人说他是乞丐，他不过是在胡乱地吹口琴。男孩坚持说，不，不，他在认真地演奏。然后，男孩跟父亲要十块钱。

什么？男人吃了一惊。

五块钱也行。男孩做了让步。

你要给那个乞丐五块钱？

是，我想给他五块钱。男孩认真地说，我们听了他的演奏，我们应该付钱……他那么认真，他没有胳膊……

男人想了想，掏出五块钱递给男孩。男人拉着男孩的手，径直走到他的面前。恰逢一曲终了，他抬起头，舔一舔干燥的嘴唇，冲男人和男孩笑笑，然后将头深低下来，在肩膀上擦一擦汗水。男孩捏着五块钱，向前跨一步，试图将钱扔进他面前的红色塑料桶。

稍等。男人说。他将五块钱重新握到手中。

男孩不解地看着自己的父亲。

我得看一看你的胳膊。男人对他说。

他再一次抬头，再一次看面前的男人。他的脸呈现出紫黑的颜色，说不清是因为阳光的照晒还是因为男人的话。他的嘴微张，嘴唇轻轻抖动，然而，他没有说话。

我得看一看你的胳膊。男人重复说，你知道，现在骗子太多……我不想让我和儿子再一次受到欺骗。我绝对没有别的意思……请你原谅……

我不是乞丐。他说。

你不是乞丐？

我不是乞丐。我只是艺人——在大街上吹口琴的艺人。

男人不知是否应该把手里的五块钱扔进塑料桶，迟疑着，愣怔不动。

我还是想看一看你的胳膊，男人坚持说，我只是想证明一下……

他低下头，久久不语，然后，将嘴唇重新凑近口琴，吹起另一首曲子。他似乎完全沉浸到自己的曲子里，对面前的父子二人视若不见。

男孩看着父亲。他感到不知所措。

最终男人还是将那五块钱扔进了塑料桶。他拉起男孩，转身走开。

身后的口琴声戛然而止。稍等！他喊住父子二人。他努力低下头，用牙齿咬开胸前的两粒纽扣。一滴汗水恰在这时滑过额头，滴进他的眼睛。他用一种艰难并且笨拙的姿势脱下身上的T恤衫。

男人和男孩同时看到他丑陋并且可怜的残肢——的确，他的两个肘部以下，空空如也。

男人和男孩，同时愣住。男人开始不安和尴尬。男人说，对不起。

他笑一笑，重新用笨拙并且艰难的姿势将T恤衫穿好。他再一次低下头，用牙齿仔细地系上胸前的两粒纽扣。他抬头看看男人，对男人说，请收回您的钱。

什么？男人不敢相信自己的耳朵。

请收回您的钱。他重复一遍，我想您还是把我当成了乞丐——只有把一个人当成乞丐，才会在意他是否伤残……但事实上，我并不是乞丐，我是个艺人……我给您看我的胳膊，既非为了博取您的同情和怜悯，更不是为了得到您的五块钱……

他用光秃秃的肘部指指面前的小男孩，说，我把伤口展示出来，只是想让您的儿子相信，这世上，并非所有需要帮助的人都是骗子；这世上，至少还有诚实……

阿 齐

〇陈 敏

早年的阿齐脑勺后面留着一个小辫子。他会玩各种乐器，也写曲子，但往往是写给自己的。那些正统的音乐人看不惯他的打扮，也不愿听他嘴里冒出的土话，称他是搞音乐的冒牌货。

可是阿齐却满不在乎，而且经常乐不可支，抱着自己写的曲子到处寻师觅友。他还是挺走运的，最终挤进了一所学院的音乐课堂。开始的那些日子，他总是人们的笑料。

使出你的招数吧，阿齐，除了二胡你还会什么？导师问。

我还会好多呢，老师。除了二胡，我还会笛子、古筝、琵琶。阿齐的回答招来一阵哄笑，因为他说话时，鼻子像是让人给捏住了，像个刚刚开叫的小公鸡。

阿齐就在别人的哄笑声中演奏自己的曲子。导师问他这个曲子叫什么名字。他说有的曲子不需要名字。

导师又问：这曲子咋没有高潮呢，音乐是要有高潮的，它是音乐的灵魂。阿齐被导师的话感动了，就询问导师从哪里寻找音乐的高潮。导师说，任何一个地方都可以找到，城墙上，胡同里，小河边，只要用心找，都能够找到音乐的高潮。阿齐就按照导师的话去寻找音乐的高潮。

阿齐所在的城市是个很有名气的古都，阿齐想到的第一个好去处就是古城墙。

登上古城墙，阿齐似乎感到一种声音像空中的行云一样慢慢向他飘来，那声音的暗流一下子就冲进了他的体内。阿齐意识到音乐的高潮来了！他幸福地嗷嗷直叫，禁不住在城墙上翻起了跟头。他竟然写出了一首名为《火鸟》的名曲。

演奏《火鸟》的乐队越来越多，阿齐的声誉也在《火鸟》的演奏声里越升越高。没有人再嘲笑他的方言土语，而且他的公鸡嗓子也成了时尚，成了青年人模仿的对象。

阿齐成名了。

成名的阿齐把头剃得精光。他组建了一个百人乐团。率乐团去乡野做露天表演，雪雨天也不间断。

一开始，人们只是看稀奇、看热闹，乡里人没有几个懂得音乐这名堂的，往往跟着瞎起哄。以为临时搭的剧场就是自由市场，闹哄哄地找乐；渐渐地，百姓们听出了门道，他们慢慢地欣赏起了这民间气息很浓的乐曲来。时间越长，他们越喜欢，最后竟然难舍难分了。

一次赶上雨天，乡亲们身披雨衣挤满会场，大雨滂沱也没人退场，感动得阿齐泪如雨下，不停地向观众深深鞠躬。

阿齐开了艺术下乡为群众演出的先河，他的名气更大了。可阿齐对名誉上的事没有多大的兴趣。他说他做的这一切不是为了名誉，而是为了感受音乐的存在。

于是在一场演出结束后，他等观众全部散尽，将整个舞台铺满黑纱，命令乐队全体男女脱掉外衣，近乎赤裸地在黑纱上狂欢起舞。

阿齐，一个光头舞者，在人群中间奔跳，轻盈得像鸿毛浮于空中。有人抱怨，没有观众，跳给谁看？阿齐怒斥那人太俗气，不适合搞这么高雅的东西。他问：山上有个寺，寺里有个僧，僧从早到晚弹琴。试问，他弹给谁听？没有人能够作答。阿齐说：谁想成为脱俗的音乐人，谁就得跳无人观看的舞蹈。

当人们寻思他的话时，他已悄悄收拾行囊离开了。

他走时留下一句话：他去追寻音乐了，音乐的脚步迈向哪里，他就跟向哪里。

没有人知道阿齐去了什么地方。

一个人的村庄

○刘立勤

都走了。亲戚走了，邻居走了，村庄里的人都走了，妻子和儿子是最后离开这个村庄的人了。老人真不希望妻子和儿子抛下自己，让自己孤独地守护着这个空落落的村庄。可是他张不开口，谁愿意待在这个吃一碗饭落半碗沙子的地方呢？看着慢慢远去的家人，老人扬手想说点什么呢，一阵风吹来，沙子飞进了眼里。

老人扒拉掉眼里的沙子，抡起锄头，在沙海里挖下一个坑，栽下一棵树。老人恶狠狠地骂了一句：我不信我治不住这驴日的沙子。

老人的村庄原来是非常美的。村庄的山坡上有树林子；树林子里有黄羊、狐狸，还有狼；村庄外的小河里有鱼、有蟹；小河和山坡之间是良田，春天播下的种子，秋天就能收获满仓的粮食。年轻人劳作之余，还可以在河里嬉戏，也可以在树林子里约会。村庄里到处飘荡的是快乐。忘记从哪一天开始，树林子就没了，河里的水一天一天地少了，远处的黄沙旁若无人地漫过来，良田也没了，村庄里的人家一家一家地往外搬。后来，就剩下他们一家了。现在呢，只剩下他一个人了。

一个人的家也是家，一个人的村庄也是村庄。鸡鸣狗叫，炊烟炉火，一样都不能少。可惜，那些鸡也吃不了那份苦，不几天就死了；狗呢，狗不甘寂寞也跑了。老人气坏了，骂一声驴日的沙子，你不让人活，连畜生都不容了。骂完了，老人扛起锄头就到村庄后面的山坡上挖坑栽树。老人知道，沙子是植物的杀手，它杀死了植物，赶走了动物也赶走了人。老人还知道，植物也是沙子的死敌，只要栽上树种上草，沙子就退了，人就会回来了。

老人的活儿干得很利落。挖坑，插苗子，再培土，一点儿都不马虎。老人也干得有劲儿，因为脚下的土地是他年轻时和妻子约会的地方。那时候真年轻呀，干了一天的活儿还不觉得累，得了空闲就把她约进树林子。那时她的话也多，就像树上的鸟儿一般，“唧唧喳喳”不停口。他可不想光听她说话，他很想做一点什么。趁着她说累了的当口，他说他眼里进沙子了。她说哪里来的沙子呢，晴天妖妖的。他说你给吹吹吧。她虽不相信，可还是嘟起红红的嘴唇。这时，他那饥渴的嘴唇就迎了上去……

想到这里，老人忍不住笑了。记忆里的故事好像就发生在昨天呢，可树林子说没就没了，她也跟着儿子走了。想到她，老人加了一把劲，狠劲地挖坑，细心地插苗子，又用心地培土。老人想，再过十年八年的，今天的小苗子就会成林了，再把她领回这里，那心情一定会美气得不得了。有了好心情，老人连饭都顾不上吃，不住地挖坑不住地插苗子，不住地培土，一天的时间竟然栽了两百株树。照这个速度，村庄前后的沙海只消三年五载就会都长满了树。

可惜，风偏偏和老人作对，一夜之间把两百株树苗全部拔了。老人没有叹息，继续挖坑，插苗子，培土。为了对付风，老人把过去只挖四十厘米的坑挖到八十厘米深。老人想，我就不信你风还能把它拔出来。又一场大风吹过，老人去看那些树苗，树苗傲然地站在那里。

沙漠里栽树不仅仅是风的问题，还有许多意想不到的困难，老人都一一克服了。老人想，只要用心，办法总比困难多。沙漠里水分少，老人就栽梭梭、红柳、沙枣等节水耐旱的植物。能栽树的季节里，他就一心栽树；不能栽树的日子里，他就种草。老人想，树活了，草绿了，沙子就无处可逃。

老人不怕难，不怕累，也不怕寂寞，每一天他都是忙忙碌碌的没有闲暇。可是到了好墒口好栽树的季节他心里就急。急什么呢？要是有个帮手，能多栽棵树多好哇。老人就想了个办法，把老伴儿骗来了。老伴儿来了，儿子也来了，儿媳妇儿和孙子厮跟着也来了。他把他们骗到地里栽树。亲戚不见儿子回去，以为他真有了什么事情，也急着赶来了，他又一脸坏笑地把亲戚也骗进地里替他栽树。

人都说，老人变坏了，不仅骗亲人，骗亲戚，也骗邻居，骗他们帮他栽树。也有人说厚道的老人变吝啬了，吃他一颗枣子要栽一棵树，喝他一杯水也要栽一棵树。每年总有一些人贪图他的枣子、喜欢他家的水而走进沙海。有了这些人的帮助，沙海里的树跑得快了许多。

记不得是十年还是八年后，老人发现村庄的前后都绿了，村庄外的小河水也多了。远处的红柳成了林，中间的沙枣挂了果，树木之间的草也生得威猛而葱郁。被他骗回来的老伴儿和儿子、孙子赖着不走了。再后来，亲戚和邻居也陆陆续续地回来了。老人觉得自己的精力也不济了，就把那些林地一家一块地分了。老人说，反正是大家栽的。

老人呢，老人到村庄外面的沙海里去了。老人想，一个人的村庄太寂寞了，一个村庄在沙海里面还是寂寞。老人又忙起来了，忙着在村庄外面的沙海里栽树。

网络时代

○金　波

网络专家王路儿，少时家境贫寒，初中毕业便失学，幸遇网络时代，置一台电脑，插一根电话线，重新踏上求学路。他免费读了五年网络大学，先后学了网络、文秘、公共关系三个专业。三年获专业文凭，五年获硕士证书。事迹在网上广为传播，轰动了网络世界。

某网络公司慕其大名，发了电子聘书邀王路儿加盟，任网刊编辑兼网络策划师，不必每天挤公共汽车上班，待在家里上网即可。工资按月汇入网上银行，再转入个人账户。网上购物日新月异，大凡吃穿用品，点击网络分类市场，各种款式规格一目了然，相中其一，发出购物指令，随即发货，网上结算，就如亲临超级市场。你瞧，地球变得多么狭小，坐在十平方米的小屋里，整个世界归你操纵。

王路儿就是这样一个网络时代的佼佼者，也是众多网迷追逐的目标。每次上网，我都情不自禁地点击王路儿的个人网页。看见照片上那一张白净富态的脸和闪光的眼神，我都禁不住怦然心动；翻阅王路儿的最新信息，对他的每一次成就由衷钦佩。可以说，是他引领我走进了网络时代。很快，我就与他交上了网友，虽然我是他的606号，他却是我的001号。每次开机，我都呼叫001，001也马上回复，并且和我聊得热火朝天。他的语言是那么风趣幽默，网络术语用得炉火纯青，时常把我逗得哈哈大笑。他还熟知女孩的心思，投我所好，我有再大的难题到他那里也能迎刃而解。因此，我把他视为知音，主动要求和他同居。于是，我们便在网上筑起了“爱巢”，由他设计一栋高雅别致的卧室，里面有双人床，有被褥，有我们的模拟人；床边有衣柜、电视机和冰箱。领了“结婚证”之后，我们以“老公”“老婆”相称。每天晚上，我们准时回到“家”，他送我爱称“软人儿”，我送他爱称“硬汉子”。最近，我们还养了一个儿子，取名“小人儿”。

网络就这样能让一对没见过面的男女从相识到相爱，并且组成一个圆满的家庭，体验到婚姻的滋味。这难道还不新奇吗？一天，我的心脏突然狂跳起来，因为我产生了和王路儿做真夫妻的念头，他有渊博的知识，会哄人高兴，还能操持家务，夫妻游戏也经验老到，收入也不错，是我的理想人选。其实，在我心里一直把他当做真老公，我向他撒娇，向他哭泣，向他欢笑，把自己的心扉向他敞开。除了恩爱夫妻，谁能做得到这些呢？我也知道这是虚拟的，可是一旦把虚拟世界转化为真实，轻车熟路，不用打磨，如同试过婚，岂不比初婚要稳妥……

好不容易找到了王路儿的家。敲了半天门，才出来一个人，面容麻木，目光呆滞，头发蓬乱，衣衫不整，精神委靡，一点儿也不像照片上的那个样子，也不是我想像中的那个人。他无神地看着我，等我开口。

“你是……王路儿先生吗？”我心里没把握。

“网名‘老子一直向前’。”

“嘻嘻，对对。我是……你的网友，606号。”

“网友？”王路儿艰难地眨了一下眼睛，“我的网友在网上，你怎么出来了？”

“哈哈，你依然这么幽默！我今天……是路过这里，顺便来看看。”我伸出手说。

“噢，欢迎欢迎！”王路儿轻轻握起我的手，我感到他的食指在我的手背上轻轻地弹了弹，便低头看了一下。

“对不起对不起。”王路儿也意识到了，赶紧松开了手，“习惯了，不管握什么都禁不住弹几下。”

坐在王路儿对面，我和他对视着，不知说什么。王路儿却突然伸出一个指头，在我的脑袋周围画着圆圈儿，嘿嘿地笑起来。

“什么?”我不解地站起来。

“你的脑袋像个 a，画个圈儿就是@ 。”

“妈呀!”我倒抽一口凉气。

我有点儿反胃。我仔细看了看王路儿，再一次不敢相信自己的眼睛，心里一遍又一遍地问自己：“这个举止怪异而又邋里邋遢的家伙就是王路儿、网络专家、我的崇拜对象、网友兼老公‘硬汉子’?”

“我很忙。”王路儿扭头看了看红灯闪烁的电脑，“你只能待五分钟。”

“今天是星期天，你还忙什么呢?”我问道。

“唉，除了八小时工作，八小时休息，其余时间我都得应酬。你没看见那么多的网友在呼叫我吗？特别是一到双休日，我的网友们都发来了信息，我要一一回复，还要挑几个重点网友交流。每天一到晚上，我还要回到爱巢，和老婆相聚。”

“是吗？其实、其实，我就是你的老婆——软人儿。”我红着脸，不好意思地说。

“什么，你是软人儿?”王路儿的脸色骤变，不过不是惊喜，而是愤怒，“你怎么不上网，跑到这儿来了？害得我呼叫了半天也不见动静。小人儿正饿得嗷嗷叫呢，你怎么也不着急?”

“你嚷嚷什么!”我霍然起立，忍无可忍了，“人家是来看望你，你怎么好意思发火？我还打算向你求婚呢，真不该来!”

“求婚?”王路儿眨巴着眼睛，“奇怪，咱们不是已经结婚了吗?”

“你牛什么！连虚拟与现实都没区别开来。”我冷笑道。

“那你有什么要求，都可以在网上提出来呀！犯得着大老远跑来，耽误别人的宝贵时间？你是不是脑子出了问题？你这种人怎么能指望……”

“喂，到底谁的脑子出了问题？”我反唇相讥。

“你走吧，有话请在网上说。这里不欢迎你！”

我被强行赶了出来，身后随即响起“咚”的一声。我听见王路儿不耐烦地嘟囔了一句：“神经病！”

我难过极了，眼里挂满了泪花。回到家里，我立即拔掉电线，把电脑送进了旧货市场。

养路工小路

〇刘正权

养路工小路长得黑，跟沥青一个颜色，不是晒的，是遗传！她爹的外号叫黑皮呢。但你如果叫一个姑娘黑皮的话，一来残忍了些，二来也显得不尊重人，小路毕竟是个没嫁人的大姑娘。小路是她娘在路上生的，这样一说你就明白了，小路娘也是养路工人，往上推，小路奶奶也是。小路的黑多少有点世袭的成分。有句顺口溜这样说的：远看像要饭的，近看像烧炭的，仔细一看是公路段的。

小路是交通学校毕业的正儿八经的中专生。中专生养路，委屈了不是？小路不觉得委屈，小路干得挺欢实。

干得挺欢实的小路从不说自己是养路的，她说我是给公路美容的。她把铲路边的杂草叫修眉，把填坑槽叫补妆。

站长看不得小路的欢实劲儿，站长就说了句风凉话，小路你先把自己美美容吧，嫁个好位子出去，省得在这鬼不生蛋的地方走T台。

T台也是小路口里的词，长长的马路就是小路眼里的T型舞台呢。

小路一点儿也不生气，小路知道站长闹情绪呢，站长原先在段里科室上班，不知怎的给弄到下面站里了，站长就一肚子不满。

一辈子听不到掌声的模特儿呢！站长冷冰冰丢下一句，回屋打电话去了。小路知道站长还在想办法往回调，天天抱着电话四处求人。

这儿很好啊！小路站在马路边想，山青水秀的，名字也好听，天堂寨！有个女作家还写了一篇小说《修一条去天堂的路》，小路就是冲着这篇小说要求来天堂寨养护站的。

人间天堂，多少人梦寐以求的向往啊，自己就踏踏实实生活在别人的向往中，不欢实才怪呢。

有一首歌说天堂里没有车来车往，小路听后笑了好久，天堂里车可多了，有往山外运木材的，也有进山收购香菇木耳的，一句话，小路这个天堂寨养护站见得最多的就是车来车往了。

养护站设在半山腰，有一辆属于自己的铲土车，遇有大块山石挡路时，就靠它来清理路面。山洪过后的路面，单靠站里几个养路工是力不从心的。

车跑得勤，路面破损就凶。小路他们不是今天填坑槽，就是明天清路面，一句话，很忙，忙得每月只有四天出门的机会，双休日对他们来说是一种奢侈。

入冬不久，下了一场暴雪，气温陡降，有几处路面冷缩后，起了坑槽，天刚晴，来来往往的车辆一跑，得，开始陷车轮了。

那天傍晚，一个司机跑来找站长，司机是个外地人，出门人都求的是和气生财，司机很谦卑地奉烟给站长说，麻烦领导个事？

站长接了烟，却不接火，只在鼻子间反复嗅，啥事？站长问。

能不能麻烦借站里铲土机去拉一下？我的车走不动了。司机点头哈腰求站长。

站长看了看天，说，这么晚了，明天再说吧，开铲土车的小陈明天才来呢。

小路就插了一句，说，站长你不是会开吗？

站长脸一黑，站长脸黑的时候小路觉得自己白了不少。站长说，我的职务是站长，不是司机，各司其责懂吗？现在我请你去烧饭！小路吐了吐舌头，小路还兼着站里的炊事员呢！

小路去了厨房。过不多久，小路听见铲土车响了，站长开车和那司机一起出了门。

晚饭上桌时，站长破例喝上了酒，喝到兴致高时，站长从口袋里掏出一百元钱拍在桌上说，分了，每人二十！站里一共五个职工，大伙儿很好奇，不年不节的，发什么奖呢。站长挺得意，大着舌头说，这是辛苦费，那司机送的！

小路说，站长你不该这样呢，那是我们工作上给别人造成的损失呢。

他们损失点小钱而已，我们损失的是青春，懂吗？尤其是你，站长气咻咻地指着小路鼻子说。

小路不懂，小路心说，我正儿八经干着工作，咋就损失青春了？

饭后，站长发了话，从明天起，在管段路面留一个坑槽，专门用来陷车。铲土车拉一次收200，别人要问起来，就说沥青没了，正从城里往站里运，反正不熟悉路面的都是外地司机，本地司机是不会陷车的。

站长说完很响亮地笑了一下，妈的，人家靠山吃山，老子来他个靠路吃路！

小路张大了嘴看着站长，站长的脸被酒精烧得红里透着黑，小路说，站长你的脸怎么变黑了啊？

站长的兴致被小路败了，站长说，有你黑吗？你找块沥青去比比看！站长是城里人，城里人最怕别人说自己黑，只有乡巴佬儿才黑不溜秋的呢！站长以为小路会掩面哭着跑回房的，可小路却真的去了仓库，那里面装有好多的沥青呢。

站长就在那儿发愣，这小路不会给自已气糊涂了吧？愣了不久，站长闻到仓库飘出熬沥青的焦味。

莫非，小路要摸黑儿去给公路补妆？站长看见黑黑的仓库里跳跃出一团火光。

牵犬师

〇王琼华

我是在一座叫名流香江庄园的别墅小区门口被她看中的。当时，这小区要聘两名保安。得知有 680 块钱的“高薪”，我赶忙就赶去应聘。只是我气喘吁吁赶到门口时，却被告知已聘满了。

我当时很沮丧。

人家也惋惜着：“看你这一米八 0 的个头儿，真是一块当保安的料子。”

不过，我运气突然变得更好。一辆至今我也叫不出牌子的红色跑车好像要从小区门口驶进去，却偏偏在我身边停住了。当车窗玻璃徐徐落下后，一张漂亮女人的脸露了出来。她把太阳镜摘下，瞧瞧我就问：“会牵小狗吗?”

“牵狗?”我一愣，又低头看了一下车轮，“哪儿有狗?”漂亮女人笑了。经过一番交谈，她就成了我的主人。

我的任务很简单，就是在外出应酬时帮她牵一只小狗。那小狗脖子上套着一只昂贵的金环，再系着一根金黄色的绳子。当然，绳子的另一头被我攥着。漂亮女人跟人介绍时说：“这是我的牵犬师。高薪聘请，还有学位的哦。”此时，我已经穿上了一套崭新的西装，脖子上还系着一朵蝴蝶结，当然就有了好几分神气。只是我出门时还嘀咕了一句：“这脖子卡得太紧了，跟上吊一样。”漂亮女人一瞪眼：“高雅一点儿行吧。你要知道，你手里牵着的是一只名犬。”

没多久，我就知道这只小狗叫丽莎，属于什么松狮犬一类。我很想知道丽莎的身价有多高，有一次就问了一句：“好多钱买回它的?”

“你有必要问吗?”

好像漂亮女人喜欢嗔怪我。但我不烦恼。毕竟每个月能挣1000块钱。有一次我跟女友聊起这事时，她还伸出老长老长的舌头：“天啊，你刨了一个金窝吧。”所以不管漂亮女人怎么嗔怪，我都是挺脖笑眯眯地望着她。后来，漂亮女人嗔怪几句又会朝我瞥上一眼。这瞥上一眼之前，当然是我不遗余力地朝她露出笑脸。

有一次，她主动告诉我说：“这松狮犬挺名贵的。它挺有特点，你瞧瞧，蓝色的口和舌，黑色的杏核小眼，耳朵小又厚实，这足也好像猫足。丽莎是一个公主，真漂亮!”

我说：“犬如其主，主如其犬，真是人迷犬犬迷人!”

“你还能说出这么雅致的话?”

“其实，我念过大学。”

漂亮女人得意地笑了，说：“当初在五十几只松狮犬中，我一眼就挑中了这只。人家还惊叹，说我的眼睛真厉害。我这回也没看错你。”

此后，漂亮女人闲时就开始教我怎么驯犬。听上去，她似乎还是一个养狗的内行。她跟我讲，这驯犬的基本方式有四种，即奖励、惩罚、诱导和强制。她突然问我：“你喜欢奖励，还是惩罚、诱导和强制呢?”我脸露一笑：“当然喜欢奖励。”她点点头，又说：“奖励也同样是犬类最喜欢接受的一种训练方式。通过奖励措施可以强化犬的正确动作，巩固已养成的能力，调整犬的神经活动状态。一般说来，最好尽量少地采用食物鼓励的方式，而应该多采取口头表扬或抚摸它的耳背、颈部、头顶等部位。”

我弯腰伸手往丽莎身上摸去。

可漂亮女人抓着了我的手，又慢慢地抬起，说：“别心急嘛，你先在自己身上训练一下吧。”

“什……什么?”

“你先练练基本功，免得你手法不对，惊吓了我的丽莎。”

我听到这话，心里不由泛起一点别样的滋味。但看到漂亮女人满眼善意的期待，还真的抬手在自己耳背、颈部和下巴上摸了几下。只是她看了就扑哧一笑：“怎么能这样抚摸呢?来吧，我示范一下，你好好感受一下。”

她抬起手，几乎没有丝毫迟疑就向我颈部摸来。

我下意识地躲闪了一下。

她嗔怪地：“怎么啦?”

“我……我不练习这个。”

“你只要能好好伺候丽莎，听主人的话，我还可以给你加薪。”

我就笑道：“其实，我上大学时还是念畜牧专业的。你刚才说，最好尽量少采用食物鼓励。这活没错。不过，有些动物连加薪这种鼓励方式也使用不得，因为这种方式恐怕会诱发贪吃、偷食的毛病。”

漂亮女人的脸第一次变得很难看。

我也想掩饰一点什么，说：“这牵犬的事还是我来做吧。”

我已经清楚地知道，漂亮女人也想当“牵犬师”。当然，她手中所牵的“犬”恐怕是我。只是她看到好像应该驯服的对象其实不好驯服，也就放弃念头，并且解雇了我。我这回没有沮丧。我吹响口哨，沐浴阳光，慢悠悠地走出别墅小区。

第二天，我又回到车间当了钳工。

老板突然发话说，今晚加班四个小时。我瞪了眼，原打算去约女友的念头也只好放弃。这时才蓦然发现，我这脖子没套上金属环没系上绳子也还是被人牵住。

大海啊，大海

〇盐　夫

轻轻的，有东西在脸蛋上轻拂。

痒痒的，喜子想笑。

那东西不像阿妈的手，阿妈的手比这柔软比这温暖。也不像阿爸的胡茬，阿爸的胡茬很硬很硬，有烟草的焦味。阿爸阿妈外出很久了，去一个很远的地方。有很多人找过他们，都没找着。那夜，来很多人，阿爸就从后窗逃走了。后来，阿妈也走了。孤孤的，只留下喜子和爷爷，还有海边的家和搁浅的海船。喜子想念阿爸阿妈时，就想哭。终于在桃树开花时节，爷爷带着喜子也离开了家，他们要去寻找阿爸阿妈。走啊走啊，喜子已记不清走过多少个城市了。每到一个城市，喜子总问爷爷，到了吗？爷爷总笑着说，到了。却总不见阿爸阿妈来。

那轻拂，是阿妈的手吗？喜子很希望是阿妈的手。

喜子想站起来，但头很沉，也很痛，脚没有一点力量。喜子两天不想吃东西了。他没有食欲。但他还是努力支撑起眼帘，打量眼前的一切。天黑了，爷爷仍坐在街道边，眼前没有阿爸阿妈的身影。唯有雪花，在静静地落，雪花一朵一朵落在喜子脸蛋上、头发上，轻轻的、痒痒的。

喜子想笑，真的，却无力发出一声呻吟。

爷爷把喜子向棉袄里搂搂紧，说，喜子，你撑着，一会儿我们就去医院。

喜子不再呻吟。他听到了碗里投下硬币的声音，那声音，很好听，像是大海发出的涛声。喜子他们有自己的房子，有温暖的家，那是以前的事。那座房子离这座城市有多远，他不清楚，但他清楚所在的方向。在东南方向，在大海的边上，那里有幢小楼。喜子与爷爷就住在那楼里，有一扇大窗正对着大海，爷爷和喜子爱看海上风景。

那是什么？喜子问。

太阳和一群海鸥。爷爷说。

那是什么？

我们家的海船，海娃家的海船，还有很多人家的海船。

好多船啊，喜子想了想担心地问，鱼不会被捕光吧？

不会的，大海里的鱼永远也不会捕光的，你这笨蛋。爷爷手点着喜子的鼻尖，喜子咯咯笑了。喜子记得阿爸每次出海归来，阿妈都很高兴。阿爸总有许多红票子交给阿妈。那时阿妈脸上的笑容，喜子觉得很好看。阿妈拿着钱回头对喜子说，这钱留着，等我们家喜子长大了，娶媳妇儿，娶个漂亮的。喜子笑了，爷爷也笑了。阿爸喝了一杯酒说，这钱还不能留给我们家喜子，我要做一条更大些的船。喜子有些不悦。阿妈也不悦，这要很多钱的嘛。

阿爸说，也就100万吧。

哪来这么多钱？

旧船卖了，再跟朋友借上几十万，这几年海里行情不错，大丰收。要是能跑远海了，那可就有的赚了。阿爸一高兴，喝光了酒壶里的酒。

阿爸想做的大船，终于抢在汛期之前下了海。

起初，每次出海归来，阿爸仍像以前一样高兴。渐渐地，阿爸的脸色变得很难看，酒也比以前喝得猛了，喝得多了。阿爸一边喝闷酒，一边说：海子这是咋啦，鱼说没就没了。

阿妈也陪着阿爸叹息。

最后，阿爸不再出海了，出一趟亏一趟，不得不把海船搁在滩头上。时间一久，船壳上生了红红的铁锈，甲板上也落满海鸟屎。

不久，家里来了很多人，搬走了喜子家里的电视、家具，还有喜子的变形金刚。喜子大声喊，那是我的，那是我的！那人很生气地盯着喜子，一甩手，喜子倒在地板上，血从头皮里渗出，殷红殷红的。再后来，又来了穿制服的人，他们用纸条封了他们家的门窗。从此，喜子与爷爷再也进不了家门，喜子只得远远地看那扇大窗在阳光里反射出的光芒。喜子与爷爷不得不搬到船上住。不久，他们又被人从船上撵走。喜子看到有人抬来电线与切割机，把喜子家的海船，切割成一块一块的碎片，然后用拖拉机拉向远方。

喜子哭了。

朦胧里，喜子也听到爷爷的哭声。爷爷的哭声很低沉，像是低低的吼。爷爷在喜子的心中，是天下最勇敢的爷爷，他从没见爷爷落过眼泪。这回为什么哭泣呢？喜子想用手去刮爷爷的鼻尖，就像爷爷刮他那样，然后说声，羞。喜子想伸手，却无法伸展，倒是发现自己的身体，奇怪地离开地面，向上浮起，接着一起一伏向前移动，起初慢慢地，后来却越来越快，像飞一样。突然，喜子听到一声刺耳的声音，嘎——这声音，喜子熟悉，是出租车的刹车声。为什么会有出租车呢？喜子正困惑，却听到有人在骂爷爷。老不死的，拦什么车，找死啊？喜子很愤怒，他想爷爷一定也很愤怒，他想爷爷会用手中的短棍打那人。然而，爷爷没有，却用近乎乞怜的语调说，大哥，捎段路，救救我家喜子吧。

喜子想说，爷爷，我很好，我们不用坐车，我能走，我们不是已经走很远很远的路了吗？你说过我很勇敢的，难道我不勇敢了……可是，喜子却始终不能发出一丁点的声音，他很急，却只能静静听爷爷说话。喜子，好喜子，撑着，你一定撑着啊……起初，爷爷声音很大，渐渐，越来越微弱了。喜子不清楚，是爷爷的原因，还是自己的原因……有东西在脸上轻拂，喜子知道那是雪花，痒痒的，但那痒痒的感觉却越来越淡、越来越轻……

地　问

〇曾　平

地，经过20年的侍弄，已经肥得流油。老人弓着腰，扶着犁，挥着鞭，吆喝着牛。

天，热起来，催着汗水大颗大颗地往外冒。

春雨已经来过。绿色，像商量好似的，一股脑儿地蹿出来。大片大片的地空荡荡地躺在那里，等待着春耕的人。

原野静寂。儿子立在田坎上，望着父亲。

快下来！老人催儿子。

儿子是被父亲抓到地里的。他连鞋也没脱。

儿子说，爹，我去工厂干活儿，去工厂干活儿划算！儿子晓得父亲不高兴，父亲不高兴已经很久了，但他得把话说清楚。

不远的城镇，一排排厂房冒着滚滚浓烟。儿子要去的就是那里。

划算个！老人挥着鞭，催着牛。他不想听儿子解释，一听，怒火就要蹿出来，舔得心尖尖一阵一阵地痛。昨晚，儿子陪着他算了半夜的账。儿子算儿子的，他算他的，两人算不到一块儿。

爹，种庄稼卖得了几个钱？儿子继续劝。儿子能举出一串串的例子，要不然，那么大的一片原野，现在怎只有父亲和他那一头牛？

老子不卖，老子自己吃！老人答。老人随牛奔跑着。多肥实的地啊！到了秋天，会长出多少沉甸甸的黄谷啊！

不种地，你吃啥！老人骂。老人骂得很有些自得。

爹，种子得多少钱？化肥得多少钱？农药得多少钱？儿子耐着性子劝，再次和父亲算着他昨晚算过的账。

钱！钱！钱！你只晓得钱！老子不要钱，老子要黄谷，要煮饭吃的黄谷！老人恼怒得很。

不谈钱？买谷种你怎让我拿钱？买化肥你怎让我拿钱？儿子抓到了父亲的痛处。

养儿算得清饭钱？老人不管儿子的提问，老人说，老子养你，算得清钱？老人觉得自己种自己的庄稼和自己养自己的儿子没有什么两样。自己的儿子自己不养谁养？自己的庄稼自己不种谁种？

儿子顺着自己的思路继续劝，爹，算上你的工资，牛的工资，种这地，倒贴！

倒贴个！我的啥工资？我种我的地我开啥工资，牛是我自己的牛我开啥工资？老人莫名其妙。老人甩着牛鞭，奔跑着。

你去给工厂守门，人家不开你工资？你的牛给别人家犁地，人家不开你工资？儿子问。

老子种自己的地！老子不给工厂看门！老人说。老人使着劲儿，牛跑得更欢。

为了工资，我自己的地不种，跑去种别人的地？老人笑骂着。老人觉得实在好笑。

老子看你想工资想疯了！老人继续催着牛。

老子从来没听说过自己种自己的地还要向自己要钱！老人说。老人把犁铧扶得更紧了一些，他想把地犁得深一点儿，再深一点儿。

牛的步子慢下来，老人也缓口气。毕竟岁月不饶人。

你想钱想疯了！老人再次骂。

快下来干活儿！老人催儿子。

不！儿子还立在田坎上。太阳当空，白晃晃的。

你要干啥？

我要去工厂干活儿挣钱！儿子答。

你敢！要不是离得远，老人的牛鞭可能飞在儿子的身上了。老人虽然怒火冲天，却一点儿也不耽误手上的活儿。他继续催着牛。泥土的芳香，随着犁铧疯跑出来，熏得他舒痒痒的。

快下来，干活儿！过一阵，老人再次催促。

没有人回答他。老人回过头，哪里还有儿子的影子？

儿子已经走了。

空旷的田野，只有老人和他的牛，忙碌着。

傲慢

〇远　山

香妮长相娇柔，走路的时候，下脚却有点重，反弹力也大，齐肩长的头发就一甩一甩的，显得很矫捷。她走进512寝室，看见里面已经有三个姑娘了，才过几分钟，就知道了各自的名字A、B、C，分别来自本省的三个城市。

“从今天起，我们是室友了。”香妮说。

因为她先说了这句话，所以就成了寝室长。香妮告诉父母说，进大学第一天，她就做官了。

四个姑娘都很漂亮，马上就有了四朵金花的外号。她们很得意这个外号，进出都在一起。上课时都坐在第一排，食堂吃饭也在一起，连体育课选课，都选了瑜伽这同一门课程。

“我们要成为好姐妹。”她们说，并伸出右手，分别击打了四下。

凑巧的是，生日虽然不是同一天，却是同年同一个月。

“仅仅是开梅花还是开菊花的季节区别，”她们说，“我们一起过生日好了。”

她们一起过生日，挑的是菊花和梅花开放之间的日子。

她们过得很快乐。

有一天中午，她们准备睡午觉，学校的广播响了。广播的时间是12点至13点，可是今天还没有到12点就响了。

“今天广播十三点了。”香妮说。

大家都笑，都说这个说法好。

播音的是一个男生。男生在念新华社的一个稿子。大家忽然都不笑了，也没有人说话。大家都在认真地听，四个头就趴在各自的被窝里，四双眼睛吧嗒吧嗒地在闪烁。

“这是谁?”男生的声音消失换成了一个女生念稿子后，A首先开了口。

“是啊，”B从被窝里探出了头，“以前怎么从来没有听到过?”

C从上铺爬了下来，进了卫生间，里面水哗哗地响。“我洗了一把脸，”出来后她说，“我从未听到过这样好听的声音，我要去打听打听，这是哪个学院的男生。”

香妮说：“快去快回。呵呵，我们都中邪了。”

一会儿，C回来了。“我直接去了广播室。可机房外面的学姐不让我进!”

“岂有此理！欺负我们新生啊?”

四个女生立马去找这个学姐算账，可是走到半路上，香妮扑哧先笑了起来，接着A、B、C都笑了。“我们这样去，会被看做疯子的。”香妮说。大家就到教室去了。下午是思想政治课，老师喜欢点名，无法逃课的。

她们就在寝室里谈论这个男生，第二天继续谈，第三天还是谈，第四天就不谈了。第四天香妮刚说了句“广播……”马上就被A打断。“不要说他了，有什么好说的!”

香妮就自己一个人听广播。寝室不方便听，她就到草地上去听。平坦的草地上的角落，耸起了几个小石头疙瘩，其实这就是广播喇叭。香妮听着男生极其悦耳动听的声音从小石头里钻出来，觉得草特别绿，阳光特别温暖。

香妮给男生写了一封信。

三天后，她的手机响了。一看是一个陌生的号码，作为新生的她没有敢接。后来这个号码又出现了一次，她犹豫了一下，仍然没有接。她对自己说：“如果它第三次出现，我就接。”

可是它再也没有出现。

男生没有回信。香妮也没有向任何人提起。有很多事情要做，香妮变得很忙。A、B、C也很忙。她们先后有了男朋友，因为她们一个接一个地开始约会了。到了大二时，已开始在外面留宿。留宿归来的她们个个都精神焕发，脸上有着奇异的光彩。

像女人了。

她们的说话，也越来越女人，很多时候不再有什么忌讳，上卫生间也不带门了，而且发出很响的声音，好像消防水枪似的。

只有香妮，没有任何变化，好像也没有什么男朋友。有一个邻班的男生在假期邀请她去玩。她母亲说：“你去可以，但一定要带一个女同学去，而且不能与他单独在一起。”她把这话告诉了男生，男生说：“这样啊，那就算了。”

香妮把这个情况告诉了A、B、C，满以为她们会哈哈大笑。可是没有人笑。她们的嘴巴是动了动，可是没有笑。“就你纯洁，”她们说，“有人说你是傲慢的俄罗斯少女，一幅画上的。”

“你们怎么啦？”香妮问。

没有人答理她。

四年很快过去了，大家开始毕业前夕的告别活动。男朋友多的，或女朋友多的，告别就显得内容特丰富。香妮忽然发现自己好像没朋友。没有人向她告别，她也没有人需要去告别。

所谓同学，无非就是这样吧？她想。

但是有一天中午，一个高大英俊的男生找到了512寝室。A、B、C看见他进来，都“啊”了一声。男生向她们笑笑，然后看着香妮说：“我估计你就是香妮了。”

“是啊，我是。”香妮说，“你是？”

“从今天开始，我是挪威一所水产大学的研究生了。”男生微笑着说，“而昨天之前，我是你的校友。”

A、B、C又都“啊”了一声，说：“你已经是留学生了啊。请客啊。”

男生说：“好的，我请客，不过我先要请香妮。”

香妮忽然觉得这个男生有点熟悉，不是他的相貌，是他的……声音。对，声音。“喔，我知道了，你是那个播音……”

“是我。”男生说。

男生请香妮出去走走。香妮想请室友们一起去，却看到了三个人复杂的眼神，就只好一个人去了。他们在月亮湖边慢慢走着。男生说：“当初你为什么不接我的电话呢？”

“电话？”

“是的。四年前，我给你打过两次电话，你都没有接。”男生说。

“原来是你啊！”香妮说，“真不好意思，我不知道是你。”

“我基本上不给人打电话，都是别人打给我的。”男生说，“你先写信给我，却不接我的电话，我从来没有碰到过。”

“我真的不知道是你，”香妮说，“你可以先发个短信……”

“我从不向女生发短信。”男生说，“你们寝室的三个女生，都是主动联系我的。”

“啊？她们跟你？”

“她们都先后和我……谈过朋友。只有你！”男生看着她，目光如火炬一样。“四年来不理我。我在想，这是一个什么样的人啊，这样傲慢？俄罗斯少女一样傲慢。所以我对自己说，在去挪威之前，一定要见见你。”

香妮轻轻地笑了。“现在你见到了，一定很失望吧。”

“不，”男生说，“你比我想象中还要漂亮，还要有气质。”

“远比她们优秀。”顿了顿，男生又说，声音很轻。“到挪威后，我能和你联系吗?”

“不知道。”香妮说，声音也很轻很轻。

“那么，”男生说，“我能握握你的手吗？也许，我只能提这样的要求了。”

香妮伸出了手。“你原可以提其他的要求，不仅仅是握个手。”她说，“四年来，其实我一直在等你来提要求。可是现在……原因你自己知道。”说着，她苦笑着摇了摇头。

香妮缩回了手，把手放进了自己的衣袋。她往回走，走了几步，又回转了头，对还站在原地的他说：“另外，我还要告诉你，你的声音现在非常普通了，一点也不好听了。这四年中，你究竟干了些什么?”

英　雄

〇立　夏

他二十岁的时候，她正好十岁。

她坐在台下，晶亮的眸子盯视着台上英武的他。

他是学校请来的英雄，笔挺的军装，一张黝黑却棱角分明的脸，因为激动透着健康的红晕。

他在台上大声地念着手中的演讲稿，只剩下三根手指的右手高高举起，如同一面夺目的旗帜。在一次实弹演习中，面对一颗刺刺作响的手榴弹，他毫不犹豫地捡起来扔向远方，挽救了被吓呆的战友。

她的眼中噙满了泪水，泪眼模糊中台上的他是那么高大英俊，连他那浓重的口音都充满了亲切的味道。

“他真是个英雄，我会一辈子记住他的。”她在心里默默地想。

他三十岁的时候，她二十岁。

学校组织学生去农村体验生活。

如果不是村干部郑重地向大家介绍他曾经是个英雄，她是一丁点儿也认不出他了。

埋头在田里劳作的他跟其他的农民已没什么两样，披着一件灰沉沉的褂子，失却了红晕的脸还是那么黑，却变得暗沉。村干部介绍的时候，他憨憨地笑着，怎么也找不到十年前的影子。

他坐在田头抽着烟卷，好几次她都想走过去跟他说几句话。看着烟头一明一灭，最终还是没过去。

她实在想不出该对他说些什么。

他四十岁的时候，她三十岁。

他在她所在的城市摆了个摊儿，卖鸡蛋煎饼。

五岁的女儿吵着要吃煎饼，她先认出了他的手，再抬头看他的脸，恍若隔世般，已然很陌生了。

女儿香甜地吃着煎饼，她的心却一直不能平静。她忍不住悄悄告诉女儿，卖煎饼的是一个英雄。女儿懵懂地吵闹着，要去看英雄。

她带着女儿折回去，女儿仔细看着他那只残缺的手，然后“哇”的一声大哭起来。她匆忙带着女儿离开，一边哄着，一边回忆自己十岁的时候第一次看见这只手，一点都不觉得害怕，只有深深的敬意。

她还记起来当时听完报告回到家，小小的她弯曲起两根手指，模仿三指的样子，想象着那种悲壮。

他五十岁的时候，她四十岁。

她在民政局坐上了科长的位子，工作还算清闲，生活不好不坏。

当他在她办公室外面探头探脑的时候，她根本就没认出他，原来他是来申请困难补助的。

她给他倒了杯茶水，他受宠若惊地捧着，只会一迭声地说“谢谢”。她陪着他办完了所有手续，而他不知道为何受到如此礼遇，越发惶恐不安，一个小时里说了不下五十声的“谢谢”。

望着他佝偻着背离开，她开始努力回想他年轻时的样子，却怎么也想不起来了。

“他真的曾经是个英雄吗?”问自己这个问题的时候，她觉得那么茫然。

她五十岁的时候，他已经不在了。

那天她在办公室喝着茶，翻着报纸，四十年前的他突然映入眼帘。犹如被雷击般，她手中的茶杯“砰”的一声落在地上。

他在回乡的公交车上遇到一伙劫匪，一车人只有他挺身而出，搏斗中，被刺数刀身亡。报道还提到，他的右手只有三根手指，年轻时他就曾因救人成为部队里的英雄典型。那张穿着军装的年轻时的照片，据说是他唯一的一张相片。

一瞬间，泪水又模糊了她的眼睛，恍如四十年前，小小的她坐在台下仰望。

李小多的幸福生活

〇龚宝珠

李小多的幸福生活是从那顿年夜饭开始的。

那个年底，李小多没有拿到一分钱的工钱。工程结束后，黑心的工头拍拍屁股，溜了。

工地待不住了，身无分文的李小多流浪在除夕夜的街头。城市的街灯把李小多的身影扯得很单薄。饥寒交迫的李小多产生了一个不简单的念头：打劫。打劫的目的很简单：抢点吃的填饱肚皮，抢点钱做路费回家过年。

李小多选择了女人的小店作为目标。

可是，李小多失败了。女人察觉到李小多凶狠的眼神中夹杂着惶急和无奈。善良的女人收留了他。女人给了他丰盛的酒菜。女人带着六岁的女儿住了旅馆，把唯一的小店留给了落魄的李小多。

李小多犯罪的冲动被女人的善良及时地扼杀了。李小多感谢女人，他要报答女人。

李小多娶了这个大他三岁的女人，有了自己的家。

李小多的想法很简单，"老婆孩子热炕头"就可以了。

女人的想法也很简单。女人对李小多说，只要咱们在一起好好过就行。

李小多捧着女人的脸，眼里闪动着幸福和满足。李小多知道女人受过伤害——女人的前夫移情别恋，抛弃了她们母女。

李小多对女人说，你救了我，我要让你和女儿过得幸福。

李小多对幸福的理解也很简单：让女人过上好日子。条件成熟的话，再和女人生一个孩子。以前，在这个城市，李小多没有亲人。而现在，李小多有了一个善良的女人，有了一个管他叫“叔叔”的女儿。

对于女儿的称呼，李小多不介意，丝毫都不介意。这个家让李小多很温暖。李小多的父母去得早，他唯一的亲人就是老家的叔。

叔待他刻薄。

没成家的时候，李小多每逢春节都回老家过年。

叔总是把李小多的行李和口袋搜刮得精光。钱整理好后，叔拿一个塑料袋装好，用皮筋扎好口，锁在一个小铁匣子里。叔的脸色取决于钱的数目：钱多的时候眯着眼慢慢点，钱少的时候两手简单一搓——挣这点钱还好意思回家。

叔还见不得李小多吃闲饭，过了初五，叔就催李小多出去打工。李小多收拾好破烂的行李和仅够路费的钱，踏着晨曦就上路了。

李小多的脚步总是及时地唤醒这座沉睡的城市。李小多像在城市行走的游击队员，从一个工地辗转到另一个工地。李小多的生活比较简单：早上馍菜汤，中午菜馍汤，晚上汤馍菜。李小多的想法也很简单：干活儿挣钱，过年回家交给叔。

三个年头过去了，李小多没有再回老家。叔的形象已模糊不清，逐步淡化在李小多的记忆深处。有时，李小多抱着一岁的儿子逗乐，偶尔也会想起这个老头儿。

李小多屈指一算，前前后后交给叔的钱也有三万多块。李小多不想再要了，毕竟叔养了自己十几年，不容易。有时李小多和女人谈起此事，女人的态度也很明确。女人说，钱坚决不能要。过几年日子好了，回老家看叔。

自从儿子出生后，李小多感觉压力挺大。女儿上学，儿子每月的奶粉，一家的生活开销，这些都是实打实的，需要的都是钱。小店的生意也不景气，李小多又去了工地。李小多甩开膀子，撅着屁股在工地的钢筋水泥中爬行，蜘蛛一般贴在高楼的脚手架上。就这样，也不过是维持一家人简单的生活罢了。

李小多经常对着高楼大厦里冒出来的万家灯火，痴痴地想攥紧未来。李小多感觉自己就像影子一样，永远融入不了城市的躯体。这种感觉让李小多很沮丧。

沮丧的李小多还常常被电视里的新闻所困扰，在城市里越来越没方向感的李小多被搅得乱了分寸。电视里经常报道关于新农村建设的新闻：农民种地补贴了，路修通了，公交车到村了，农村合作医疗了……

前段时间，李小多害了一场病，挂吊针、吃药，折腾了几天，三百多块没有了。

李小多的心生疼。

在经过一番对比再对比、考证再考证的思想斗争后，李小多跟女人商量着回老家的事。女人就说了三个字：听你的。女人卖了小店。

腊月二十九，李小多带着女人和两个孩子回了老家。

家乡的变化让李小多不停地感叹：这几年在外边算白混了。一排排崭新的平房刺得李小多的眼睛发酸，有的甚至盖起了二层小楼。李小多眯着眼，彳亍在夕阳的余晖中。

叔家的门楼很气派，叔的精神也好得出奇。叔说，小多，你终于回家了。

李小多能敏锐地感觉到叔的情绪很激动，叔的眼角随时会弹出几滴眼泪。李小多不声不响地吃着饭，叔全家的热情让他有点惶恐和莫名的自卑。

吃完饭，叔拉着李小多进了里屋。叔拿出钥匙小心地打开了一个铁匣子，取出一个塑料袋，把扎口的皮筋去掉。叔说，这是四万块钱，是你前些年打工的钱和银行的利息，不足的部分我给你补上了，凑了个整数。

李小多愣住了。

这钱本来我打算一直存着，等你回来娶媳妇儿时盖房子用。前些年我怕你在外面胡来，一直没和你说。

叔说，你成了家我就放心了，拿上这钱先安定下来，村里的宅基地也一直给你留着。

李小多的喉结蠕动了一下，鼻子一酸，久违的温暖涌了上来。

门外，噼里啪啦的鞭炮声响了起来——过年了。

李小多知道，他的幸福终于着陆了。

微　笑

〇陈永林

赵伟在车站等公交车时，不小心踩了一个人的脚。赵伟回头一看，是个民工。已是夏天了，民工仍穿件厚厚的草绿色的褂子。褂子上沾满水泥，身上散发出一股汗臭味。往日，赵伟会一脸怒气瞪着民工，那神情仿佛民工踩了他的脚。可今天赵伟的心情极好。一上班，局长就对他说，想让他挑更重的担子。赵伟明白局长这话的意思，赵伟科里的科长调走了，科里的人为这个科长的位置争得头破血流。赵伟对科长的位置不是没兴趣，而是觉得自己没资格当科长，想不到天上掉馅儿饼了。赵伟今天还遇上另一件高兴的事，小雨答应做他的女朋友了。赵伟一直追小雨，小雨却对他不冷不热的。另外，赵伟觉得这个民工有点儿眼熟，像是以前给他铺地砖的那个民工。赵伟便笑着对民工说，真对不起，请原谅。

民工一脸的惶恐，别……别这么客气……民工想笑，脸上的肌肉却扭成一团，那僵硬的笑比哭还难看。

赵伟被民工脸上的神情逗笑了。

这时，赵伟要坐的公交车来了。赵伟上了车，民工也上了车。车内很挤，赵伟找不到空位置，只有站着。赵伟见了身后的民工，朝民工又微笑了一下。民工也笑了，但笑得极不自然。

车到了广场，下去了一些人，又上来一些人。车内仍是那么挤。

有两个年轻人往赵伟身上挤。赵伟说，挤什么？但赵伟不知道，这两个人是小偷。当一个小偷把赵伟的钱包拿到手上时，赵伟身后的民工抓住小偷的手。另一个小偷迅速把钱包塞进自己的口袋，又抽出刀子在民工眼前晃，你不想活了，想活就少管闲事。民工仍紧紧抓住小偷的手，你把钱包还他，我就放。

赵伟对民工说，算了吧。我钱包里没多少钱。其实赵伟钱包里有1000多块钱，赵伟只是担心小偷的刀子真的会扎向民工。

车内的人都不出声。

小偷对民工说，你真的不放手？民工说，你把钱包还了他。小偷说，你找死。小偷手里的刀子朝民工的肚子刺去。民工一下倒在血泊里。小偷还想刺民工，赵伟双手抓住小偷握刀的手，把小偷的刀夺了过来。

车内的几个人见赵伟夺了刀，这才出来帮忙，把两个小偷制伏了。

民工被救护车送进医院。

当记者问民工为啥抓小偷时，民工不好意思地笑了。民工问记者，你想听实话？记者点点头。民工说，以前我也许多次见到过小偷偷人家的东西，我都装作没看见。可这回，小偷偷的是一个踩了我的脚而对我说对不起并朝我微笑的好人。记者一脸茫然。民工又说，我来城里八年了，他是唯一一个踩了我的脚对我说对不起并朝我微笑的城里人。

记者采访民工的文章《感谢微笑》见报后，在市民中引起很大反响。许多市民自发地去医院探望民工。民工的房间里堆满鲜花。

赵伟也成了家喻户晓的名人。市政府给赵伟颁发了“文明市民”的称号。赵伟接过市委书记颁发的“文明市民”奖章与证书时说，我不配当文明市民。我是个极冷漠的人，平时也从没给过民工一个微笑，只是那天我遇到了两件高兴事儿，心情极好……这是我第一次踩了民工的脚同民工说对不起，第一次朝民工微笑……

声　音

〇安　庆

他听出来了，又是那个声音。

喂，麦大夫！

麦大夫稍一犹豫，马上接上了对方，然后很专业地问：喂，你好，有什么要咨询吗？对方也在稍加犹豫后和话筒接上了。声音又从身边的收音机里拐回耳鼓。麦大夫，冬天了，我想听你讲讲胃病的预防知识。

麦大夫说：好，你问的这个话题很好，冬天是胃病的多发期，冬天里有一部分人容易晚起，早餐一般就隔了过去，而在夜里又常常有人喜欢吃夜宵……所以预防胃病首先应该从饮食上注意……

对方说了声谢谢，又好像意犹未尽，不愿意轻易地放下话筒。正好这期节目结束了，麦大夫长长地吐出一口气。他放下耳机，放下眼前的对讲设备，揉揉眼走出导播室，冬日的阳光哗啦在他的眼前铺展了。

麦大夫在电台主持这个疾病预防节目后已经好几次听见这个声音了；第一次是几个月前，那时刚刚入秋，主持的话题是秋季预防流感，预防肠道疾病。在半个小时的节目里，那个电话终于冲了过来，电话接通时对方的声音似乎有些哽咽，透着一种怯，是一种来自乡间的口音。他说：麦大夫，你是麦大夫吗？是麦苗青医生吗？麦大夫的心里倏然一个咯噔，他一直在回忆这个声音，这个声音似乎藏在什么地方，但他用劲地回忆也没有理出头绪，在听懂意思后他很职业地回答了对方。他记住了那个电话，打过去时电话却一直占线，后来终于打通了，是一个公用电话。

那个声音又出现过几次。

有时候他不可遏止地去回忆那个声音，甚至渴望那个声音，这样的听众在有时候避免了他的一种尴尬，弥补了他独自讲述时激情的缺乏。在做这档节目前，电台曾经很慎重地在几家医院选择谁来担当节目的主持，在挑选中胜出是因为他的医术，也因为他的口才，他在某些方面的优势。他需要忠实的听众，对这样的听众他甚至抱有一种感激。

又一次走向电台时他在想那个声音，已经有一段时间没听见那个声音了，对那个声音的等待使他在做节目时有了几分惶惑。节目的中间响起一个年轻的声音，说着不算流利的普通话，说：夏天了，我想请麦大夫讲讲在校学生对夏季疾病的预防……节目结束走出导播室时他有些怅然。

终于又听见了那个声音，那时候夏天刚刚过去，麦大夫在接电话时甚至激动得有些心跳。这档节目马上就要停播了，他以为再也听不到这个声音了。对方问的竟然也是有关节目的话题：麦大夫，节目会不会再办下去？我们是在市里打工的民工，看不了电视，出门在外，喜欢听你的这个节目……

麦大大丢下话筒，奔下电台大楼。还是那个电话，他已经知道了电话的位置。夜色笼罩着这座城市，城市在霓虹中泼洒着魅力。他找到电话亭时，电话前守着一个困倦的女人。他说：我找刚才那个打电话的人，给电台打电话的人。女人说：是不是打着电话手里还抓着收音机的那个人？

在几百米之外他找到了那个工棚，不远处有一座正盖着的大楼。心嗵嗵跳着拉开工棚的门帘时，他看见一个中年人正托着一台小收音机，倚在棚柱上。他走过去，说，我……我就是麦大夫……

那人站起来，身上的灰夹克落在了铺上，话一出口，麦大夫听出了就是那个声音。他说：麦大夫，多少年了，感谢这个收音机让我听见了你的声音，我在心里一直记着的就是你的声音！记得十年前吗？我带儿子来这个城市急诊，当时从县里转来时我们的钱花光了，医院讨论是不是马上接收我们的孩子，是不是让马上住院，就是这时候我听见一个声音，那个声音说，住，有什么遗留问题我来承担，可以从我的工资里扣……他说不下去了，他放下收音机，抓住麦大夫的手，然后又抓起比两个烟盒大点的收音机。他汪着泪，真的感谢这个收音机，让我……麦大夫，我告诉你，我的孩子已经上大学了，在另一个城市，他也曾经给你打过一个电话。我来这里打工，就是为了孩子上学……

麦大夫转过身，噙着泪，够了！够了！这档节目，让一个人找到了一种声音，一个人记住了一种声音！

根雕王

○邵孤城

最近，从美国传来一则喜讯：中国根雕艺术大师王仰止的作品“白龙戏珠”在美国国际艺术大展上折桂。消息在国内一传出，立即产生了巨大反响，北京、上海的展览馆纷纷致函要求展出这件惊世之作，大小媒体更是不遗余力大肆炒作。

英国富商华威先生在北京见到“白龙戏珠”时，竟脱口而出一连七个“绝”字。他激动地一把握住王仰止的手说：“王先生，你开个价吧，无论如何我要把它买下来！”王仰止深藏不露地微笑：“华威先生，咱们还是约个时间再详谈。”据说，他们达成了一个近乎天文数字的协议。

可是，当华威先生美滋滋地准备交易时却发现，王仰止失踪了，好像从此蒸发。

省电视台资深记者陈谷认为王仰止一定是回到了虞城，向虞城的同行一打听，王仰止果然回到了家乡白龙潭。为了披露王仰止神秘失踪的幕后故事，陈谷带上摄制组驱车前往白龙潭。

白龙潭是个小村庄，村北有山，村南有湖，这里依山傍水，风光旖旎，拥有得天独厚的自然景观。陈谷刚到白龙潭，就被眼前的一幕震住了：只见村北数丈高的山崖峭壁上，一个山民凌空悬住，手握一把小锄，不时在岩缝里刨几下，然后从口袋里掏出什么塞进去。陈谷向路过的村民打听：“他在干吗呢？”

“种树。”

陈谷这才恍然大悟：“不错，当做专题片的片头蛮抓人的。”他忙让摄影师把这一幕给拍下来：“这人是谁啊？这么不要命。”

“王仰止呀，大名人呢！”陈谷大喜，别人踏破铁鞋无觅处，他却得来全不费工夫。这王仰止悬崖种树，绝对是个爆炸性新闻。

王仰止种完树，顺利落了地，却已经是气喘吁吁，一下瘫软在地。陈谷忙让助手送上矿泉水，王仰止也不客气，一阵牛饮。陈谷伸出手：“王先生，我是省电视台的，想对你做个深度采访，还望王先生支持。”

王仰止站起身来，径自走向摄制车：“走吧。”说完，拉开车门，先坐了进去。陈谷一头雾水，问：“上哪儿?”

“县城。作品都在工作室。”

车子停在城乡接合部一幢破旧的平房前，只见满院全是各式各样的树根，让人眼花缭乱。陈谷问：“能否拍一下王先生的获奖作品?”

王仰止一指地上的根雕残片：“全在里头！奖杯在门后。”

陈谷跨到门后一看，只见一堆玻璃碎片，依稀可辨鎏金的洋文。陈谷一下子惊呆了。

“奖金全买了树种，自罚种树三年。很抱歉，让你们失望了。”王仰止说完，抓起墙角一个挎包，做了个送客的动作。

陈谷长叹一声：“为什么，这是为什么?”

“前些天华威先生也这样问我，你看完这封信也许就明白了。”王仰止递来一封信，陈谷接过来就迫不及待看起来。

仰止吾儿：

你出名了，上了电视上了报纸，风光是风光了，可你知道村里有多少人在骂你。白龙院里老祖宗传下的拴龙桩也让你挖去换奖了，那是咱白龙潭的根哪！那是保佑咱老百姓风调雨顺的神啊！这些年你迷上了根雕，可你祸害了多少树木，这是多大的罪过啊……

汽车，汽车

〇金晓磊

从银行出来的时候，孙三看到一辆黑得发亮的奥迪车在路边停了下来，从车子里钻出个衣着簇新的人。

孙三一下子就认出来了，张口就喊：赵四！

那个叫赵四的人盯着孙三看了看，突然叫出声来：孙三。

寒暄几句，也没什么好说的，就客套着道别了。

孙三在爬上那辆“老坦克”之前，忍不住又回头看了看那辆奥迪车。赵四刚好也转过头来。他站在台阶上朝孙三挥手的姿势，在早晨太阳的映照下，让孙三感觉像某位伟人的挥手。

晚上。孙三说，我今天上银行的时候碰到赵四了，我高中的同桌。

我道是谁呢。苏蕾忍不住“哼”了一声，继续做面膜。

孙三说：读书的时候，他经常挨老师的骂，还老抄我作业，现在居然混得人模狗样，开起汽车来了，而且，还是一辆崭新的奥迪车呢。

那是人家有本事。

哼，本事？还不知道是靠什么本事呢。孙三说，现在，连看门的都狗眼看人低了。

一说那些保安就来气。这帮人看见开车的进出就敬礼，看到我们骑自行车或者电动车的，头抬得比那些下蛋的鸡还高。苏蕾一下子来了精神。

孙三说，要不，我们也去买辆车子？

什么，车子？苏蕾边说边撕下了那张面膜，在手里揉搓着。

苏蕾突然下床，走到柜子边，开了锁，把那些银行存单都取了出来。

两万八、两万、一万七……孙三和苏蕾翻着那些存单，嘴巴里念叨着。

等算到十万八千的时候，苏蕾开口说话了，就一个字：买。

几个月以后，孙三拿到了驾照，从苏蕾父母那里借了些钱，把一辆崭新的别克车开回了家。路过门岗的时候，坐在副驾驶位置的苏蕾特意开了窗，她睥睨了一眼那个挺直了身子、敬了个礼的保安，说不出的舒坦。

日子就在车轮里过去了，麻烦却像车轮扬起的灰尘一样来了。因为孙三当时买房子的钱都是东拼西凑的，谁会想到这辈子还会买车，所以，车库的概念半点都没有。现在，车子的睡觉就成了问题。

小区里，现在也是车满为患了，要找个安全的地方停车，有时候比登天还难。可想而知，一辆新车，好不容易趴在小区的过道上，就像一个腰里揣了五百万的人走夜路一样让人不放心啊。

就这样，孙三老是睡不好觉。梦里，车子不是被刮花了，就是车牌被偷了；不是车窗被砸了，就是车胎被刺了……有时候，真睡不着了，孙三索性起床，找个手电，下楼去看看车子怎么样了。最多的时候，一个晚上，孙三下来了五趟。

真要该你倒霉了，哪怕五十趟也没用。苏蕾说，还是好好睡个觉，明天打起精神开车吧。

孙三想想也是，就真睡着了，而且睡得还不赖。

可第二天，孙三准备开车上班的时候，以前做过的噩梦却成真了。

那条长长的刮痕，不像刮在车身上，倒像是刮在孙三身上一样疼。孙三忙蹲下身子，抚摩起那条伤口来。那条伤口突然就全消失了。可一睁眼，那伤口却还是十分醒目地存在着。孙三直了直腰，绕着车子转了一圈，谢天谢地，并没有第二条刮痕了。可是，又觉得仍有什么地方不对劲。

忽然，一阵风吹过来。刮雨器上有东西动了动。是一张小纸片。上面是这样写的——要车牌，请拨：8585××××。

电话通了。对方说，放四百块钱到小区门口的第四个垃圾桶下，等我们的人收了钱，会打电话通知你去哪里拿车牌的。最后，对方补充了一句：干我们这行的，讲的是诚信。

车牌的事情解决了，没几个月，又出了车胎的事情。

一大早，小区里就闹哄哄的。孙三想补一下头天晚上的噩梦觉，忍不住骂了娘。可越听越觉得不对劲——满耳朵都是汽车的事情。孙三连忙跑下楼去。一大群人围在孙三的车子边，唧唧喳喳。孙三挤进去，看见那个缺了车胎的右后轮，豁着口，朝着他笑。孙三忍不住，又骂了一句娘。

某一天晚上，孙三抱着被子，钻进了他的那辆车子，肆无忌惮地打起了呼噜……

进城的蝈蝈

〇孙道荣

晚饭后，一家人散步。走到小区门口，被一阵密集的“唧唧——唧唧”声吸引——是卖蝈蝈的。

儿子嚷着要买一只。

路边停着一辆自行车，后座上左右两侧，捆着几百个小竹笼，每个小竹笼里，都装着一只蝈蝈。走近了，蝈蝈声更加急促响亮，此起彼伏，像没有指挥的大合唱。

卖蝈蝈的中年男子站在一边，卷起破了边的帽子，呼哧呼哧地扇风。

问价格，中年男子指着竹笼，用一口浓重的乡音说，左边的每只三元，右边的五元。问缘故，男人回答，左边的是养殖的；右边的是从庄稼地里一只一只捉回来的，叫声不一样。

儿子选了一只野生的蝈蝈。提着笼子，儿子高高兴兴地和妈妈先回家去了。“唧唧——”一只蝈蝈的叫声，渐渐远去，就像大合唱里一个声音唱着唱着突然跑了调，越跑越远。

我好奇地问中年男子，那些蝈蝈，是怎么从庄稼地里捉来的？

他说，这些蝈蝈，都是我两个孩子捉的。男子看着我儿子的背影，比画着说，我的小孩子和你儿子差不多大，大女儿已经读高中了。这些蝈蝈，都是他们姐弟俩放学后，上庄稼地里捉回来的。说着，他忽然咧咧嘴嘿嘿笑着说，你看你们城里的孩子，多白嫩啊。我的两个孩子，晒得都跟黑蛋似的。

他告诉我，每年一到夏天，两个孩子就会利用星期天和暑假，到田间地头捉蝈蝈，运气好的话，一天能捉三四十只。孩子的爷爷奶奶，则会早早编织好一些小竹笼，用来装蝈蝈。然后，他再骑着自行车，驮到城里来卖。不过，女儿快升高三了，学习紧了，没时间捉蝈蝈了。所以，他才又从养殖场里批发了点养殖的蝈蝈，一起拉到城里来卖。

说到两个孩子，中年男子黑黝黝的脸上露出些许欣慰。他说，女儿的老师说了，这孩子肯干，明年考上大学应该没问题。这不，我得给她先攒好学费呢。

我问他，这些蝈蝈都卖掉，要多长时间？

他说，生意好的话，一天能卖三五十个，这些都卖掉，总要十来天吧。因为家离城里有一百多里远，所以，每次都要等全卖完了才回去。

那晚上住哪儿啊？我关切地问。

他指着不远处的一座桥说，这么多蝈蝈，太吵，住哪儿都不方便。我晚上就睡在桥洞下面，吵不着别人，还省钱。他憨笑着。

天渐渐黑了。不断有人领着孩子，好奇地走过来。

我对他说，我再买一只吧，免得那只蝈蝈落了单，孤独。

他帮我挑选了一只。

“唧唧——”提着笼子，我向家走去。家里，另一只蝈蝈，在“唧唧”地呼唤。我的家，会成为这两只蝈蝈在这个城市里的家吗？

窗口

〇青　铜

公司迁址，新办公室有两扇窗，一南一北，正对着。南窗外是高楼，遮了阳光，投下阴影；又有一株老榆，遮了窗口，像巴掌捂住眼睛。北窗正对着街道，车水马龙、人流如织，喧嚣繁杂，昼夜不息。两扇窗都积满了灰尘，无人过问。

五月，冗长而单调的下午，南窗的蝉鸣、北窗的市声，扰闹不休。人心，都是躁的。喝茶、看报、上网、聊天儿，还是打不起精神，个个像被毒日头晒蔫了的树叶子，耷拉着。

就有人抱怨，说，怎么搬到这么个破地方？又说，两扇窗都封了才好！

可是，不几天，有人发现北窗竟是个观景的好场所，视角极佳，过客行人、世象百态，尽收眼底。于是，就有人拂去了北窗的积尘。冗长而单调的下午，就有人趴在北窗边，饶有兴致地观望。办公室就常常响起一声呼唤："快看快看，小偷偷包——"有时，是一声惊呼："呀！撞了撞了！"于是，众人呼啦围到窗边，争着挤着，伸着脑袋去看。窗口窄小，快一步的，抢到好位置，慢一步的，就踮着脚，或者干脆搬个椅子踩上去看。

北窗外，事常有。办公室里就常有谈资。冗长的下午，也就不再单调。

这天，北窗下停着的一辆轿车突然起火。起初只是一个小火头，因无人扑救，火越烧越旺，不一会儿，浓烟滚滚，遮天蔽日，眼见着火舌越舔越高，将路旁的柳树枝叶都烤焦了。

办公室里，兴奋是空前的。第一时间，目击事件的发生，并将目睹其发展、变化、高潮及尾声，所有人都亢奋起来。北窗，成了一处绝佳的观察哨，所有人都成了观察员，纷纷询问着、分析着、争论着，问号、叹号满室飞舞：自燃？人为纵火？快打110！笨，应该打119！还是打报社热线，奖金非我们莫属！相机呢？快拍！车主呢？躲边上哭去了吧？能不哭吗？十几万没啦！

观察家们群情激奋，充分发挥着想象力，施展分析和解决问题的能力以及事故处理协调能力。如果是自燃，是因为天热，还是油路老化所致？如果是人为纵火，是仇？是债？是情？

火借风势，烈焰翻卷。路人、记者、警察，都只能远观，不敢近前。眼见扑救无望，车报废在所难免。办公室里，兴奋度忽然就降了几个百分点——结局已知，索然无味。只是，仍不肯丢开窗口——总算聊胜于无吧。

忽然，身后响起一个胆怯细小的声音：不会爆炸吧？

哗！众人齐齐后退数尺。有人说：会！电影里不都是这样的？

立马又兴奋起来。便有人关上窗，拿硬物护住头面，仍旧贴到玻璃上，挤扁了鼻子，期待着预料中的爆炸声。

然而，终于没等来那声期待中的爆炸。消防车赶到，高压水龙头射出雪亮的水柱，浇灭火头。车，只剩个骨架。人渐散去。办公室里，众人终于离开窗口，一一归座。剩下的事情只有一个，打电话，向所有熟悉的人述说刚才发生的整个事件的进程。

次日晨报以头条新闻报道了这次事件，标题为《气温过高汽车自燃，众人围观难施救援》。报纸送到办公室，看到标题，有人不屑，说，傻瓜才去救火呢！众人仍在持续兴奋中。那兴奋仿佛是口香糖，一定要嚼到没了味儿才肯罢休。

这天，办公室来了个新人。新人初来，勤快，拖地抹桌，将南窗北窗擦得雪亮。众人熟视无睹。

午后，众人昏昏欲睡，忽听窗边一声呼唤。齐围上去，见马路正中躺着位老人，肇事车绝尘而去。众人急唤新人，快来！你小子刚来第一天就赶上了。唤罢，回身不见新人。再看窗外，新人已飞步跑上马路，排开观者，将老人背起，拦车送往医院。

围观者散去，马路恢复了车流喧嚷。办公室里，众人各自回座，议论纷纷，谴责肇事者，担心老人，感叹世风日下、路人围观无人救援。也有人说新人，傻！万一老人醒不过来，岂不被讹上了？

忽然，有个声音说，没想到，这小子还挺有良心的。

话出口，说话者忽然收声。所有人沉默。办公室里，气氛陡然多出些尴尬。便有人起身，走到南窗边，低头抽烟。再抬头，忽然一声惊呼。众人闻声过去，见南窗被新人擦得干净透明。南窗下，竟是个小花坛，种了一株玉兰、两株芭蕉和几丛鸢尾。玉兰如雪，芭蕉火红，鸢尾花开蓝中夹紫，如蝶翩跹。

众人齐叹：好风景！以前怎么就没看到呢？

下脚料

○邵远庆

老马调到鸿发皮鞋厂任厂长后，要做的第一件事就是减员——裁减行政人员。老马感叹说："百十号人的一个小厂啊，竟有50名行政人员。我有多大本事才能重振'鸿发'啊！"

老马决定，先召开四个科室的科长会。不一会儿，四位科长就规规矩矩地端坐在老马的办公室了。

清清嗓门儿，老马直截了当地说："我发现，咱厂的行政人员太多，尤其是你们几个科室。当然啦，行政人员多，是当前国有企业的通病。精简行政人员，又是众所周知的一大难题。多少原本效益好的企业，都因冗员多、负担过重而陷入瘫痪。就拿咱们厂来说，一个干活儿的养活一个不干活儿的，有多大利润才能使厂子兴旺起来呢？所以，今天请你们来，就是要共同商讨一下，看究竟谁该被裁掉，裁谁更有利于开展工作。"

听完老马的慷慨陈词，几位科长你看看我，我看看你。其中一位小心翼翼地说："前几位厂长上任时，都精简过了啊。"

"精简掉了吗？"老马追问。

"没有。"

"那跟没精简有什么两样呢？"老马有些生气了，顺手拿起摆在桌子上的一块做鞋时裁下的下脚料，深有感触地说："要知道，这些多余的人员，就好比这些毫无价值的下脚料啊！"

四位科长齐声说："是啊，是啊。"

最后，老马又斩钉截铁地说："此次裁员，我铁了心肠。你们回去要抛开情面，不管这些人背后的关系网多复杂，你们都要把名单报上来。这次如果行政人员精简不下来，从今后我不姓马！"

下午一上班，四位科长就准时把名单送来了，端端正正地放在老马面前。

老马刚拿起第一份名单，还没来得及看，电话就响了，是主管局的一位副局长打来的："喂，是老马吗，我有个亲戚叫吴××，在你手下工作，你可得好好培养啊！"

老马嘴里应着，心里却犯了难，因为手中名单上写的便是吴××呀。

老马正要拿第二份名单，电话铃又响了，是市里王秘书打来的。没想到王秘书让照顾的人，也在被精简人之列。

紧接着，先后又有两位顶头上司专程来访，顺便让老马照顾另外两个人。

老马像不认识字似的，把名单翻来覆去地看了一遍又一遍，猛然觉得几张轻飘飘的纸片，在他手中不知为何变得沉重起来。

整整一个下午，老马心里非常矛盾：裁吧，方才那四位领导哪个也得罪不起；不裁，自己已在几位科长面前立下誓言——不清理这些人员就不姓马……

老马开始抽烟，一根接一根地抽。办公室内烟雾缭绕，呛得老马一阵阵咳嗽。

要透一下空气，不然，非把人憋死不可。老马拉开窗帘，推开窗户，整个工厂全貌一下子呈现在眼前。

突然，后院墙脚里一堆亟待处理的下脚料闯入老马眼帘。老马精神一振，立马有了主意，迅速安排秘书：通知厂办下文件，让名单上的四个人去负责保管那堆下脚料。

嘿！"下脚料"管下脚料，有意思！老马越想越得意，自言自语地说着，禁不住笑出声来。

仝家面条铺

○庄　学

这仝家面条铺的老板，自然是仝老板，富富态态，弥勒佛般，见人先笑后说话。人们叫他仝老板，是看他富态，衣服一穿挺胸凸肚的还真有点儿老板的派头。

十年前，仝老板的一家刚进城里这道街市的时候还比较寒酸，大大小小的五口人连同压面条机一起，住在一间倚楼栋一头搭建的约几平方米的临时建筑里。白天大人们忙乎着，十二岁的小姑娘就带着两个阶梯般的妹妹满街市地疯跑。仝老板夫妇把这街市当成了老家的村子，对这几个孩子不管不顾，吃饭的时候都一个个地回来了。饭是老三样，早上面叶，中午捞面条，晚上汤面条，一家几口端着碗顺次蹲在小屋的门前呼呼噜噜热火朝天地吃喝着，惹得买菜的大妈们路过这里直扭头看。亏得仝老板他们勤奋，每天经手的面袋子要一卡车。男人那个时候还不叫老板，大短裤一穿，精赤着上身，一会儿轧面，一会儿“突突”着摩托车给其他面点上送面，反正染的就是一个白，白的眉毛白的面庞白的衣裳……女人则亲自卖面，笑盈盈地对着每一位来买面的童叟，称完了面随手再抓几把放进去。

生活在不知不觉地发生着变化。进城几年后，仝老板还时常给别的面点送面，不过大多数的时候是一个小伙计来干了，仝老板时常骑着摩托车出去联系业务，寻求一些大的客户。那间当初栖身的临时建筑已经拆除，仝老板在别的地方觅得了轧面车间和住室，但是这个菜市场上的面点却不舍得丢掉，老板娘和她的大女儿经营着。后来仝老板是开着桑塔纳四处联系业务的，还购买了商品房，下面两个超计划生育的女孩也在城里上了学。我还间或见到仝老板，仍然是那么富态，见了人还是喜欢先笑再说话，不同的是现在衣帽整齐干净了。

成为仝老板的仝老板还是有点郁闷和遗憾，膝下无男孩，比不得小买，喝酒的时候就哀叹一声，挣的钱够养老了。也就时常寻找一些偏方叫老婆给他熬着吃，什么绿豆熬山药，王八鳝鱼都吃过，还被一个算命的偏方给骗去了一千多元，终是无济于事。于是自嘲一声，命里该吃球，跑到天外头，拾块干蔓菁，一摸还是球。

我问仝老板，家里的地还种吗？仝老板回答：那点地只能顾住吃。现在都住进了城里，就不考虑它了，租给了别人种。你们城里人会舍得干我这行吗？只怕是丢不下那身份。细想想也就是，城里人能够舍下身份做这些的，恐怕是大智者哩。只可惜这样的大智者太少，宁可守着那二三百元的最低生活保障，也不愿做这些“丢身份”的事。呵呵，都是些假斯文。农民进城，也算是把城里人看透了，就那点表面溜光水滑的本事。真的把钱揣兜里的，还是俺这些农民呵。嘿嘿！不给你说了，我还得进面去。“突突突”，拜拜了哈！

速配时代

〇朱耀华

公交车开动了，这时，何首乌突然发觉自己犯了一个错误：忘了带手机。

要在平时，可能这个错误还不算太大，但那天不是平时，那天是何首乌和桑叶约会的日子。一周前，何首乌和桑叶都参加了妇联组织的一个叫做“白领情缘”的活动，参加活动的都是大龄青年。在那次活动中，何首乌主动出击，大展才情，终于如愿和桑叶“速配”成功。于是，他们互相留下了联系电话。何首乌十分珍惜这来之不易的缘分，两天前，他打电话给桑叶，请求和她共度周末。桑叶表现了约半分钟的矜持（这让何首乌感觉更加良好），愉快地答应了。

没有了手机，何首乌变得有点六神无主，整个人仿佛处于一种飘忽状态。天气并不太热，他头上却冒出密密麻麻的汗珠。但是，他没法让公共汽车停下来。再说，时间也不允许他再走回头路了。第一次约会，绝对不能迟到。

九点五十，提前十分钟，何首乌到了体育广场，那是他和桑叶约定的地点。问题是，何首乌没有和桑叶约定具体位置，只说到了再联系。广场太大了，人头攒动，而且，还散落着大片高低错落的房舍和花木茂盛的绿化带，要搜寻一个人显然是一件困难的事情。何首乌只好睁大眼睛，努力扫视着来来往往的人群。

很快，何首乌发现自己是徒劳。别说一双眼睛，十双都不够用。汗水顺着何首乌的额头流下来。流进他的脖颈里，像很多蚂蚁在爬。何首乌掏出纸巾，刚擦完，汗水就又冒出来了。他从来没有发现自己有这么丰富的“水资源”，好像在故意嘲笑他似的。

不行，得给她打电话。何首乌想。他急得心里冒出火来，四下里看看，却没有看到公用电话亭。他去问一个水果铺，水果铺的老板脸上似笑非笑：“什么时代了？捡垃圾的都拎着手机哩。现在谁还打公用电话呀?”

“我手机忘了带出来。”他一副可怜兮兮的样子，用几乎带着乞求的声音说，“能不能借用一下你的手机?”说完，他又匆忙加一句：“我买两斤苹果。”

老板摊开手：“我的手机没电了。”

他失望地回过头去，以急行军的速度在广场里转了一圈，没有看到桑叶。他在心里咬牙切齿地骂着自己，你这个王八蛋啊，你这个窝囊废啊。他恨不得掴自己两个耳光。他看到广场北边有一个酒店，他想，酒店里面肯定有电话。于是，他向酒店跑去。到服务台，他对服务员说：“能不能帮我打一下电话?”

服务员盈盈含笑，答：“可以，几号房?”

“打外线，市话。”

“对不起，我们的电话只能打内线。”服务员说。

他沮丧地走出了酒店。看来，只能鼓足勇气再向别人借手机了。

他走到一个戴着旅行帽的男人面前，谦恭地向他弯了一下腰，说：“先生，对不起，可以帮我个忙吗？我手机忘了带，能不能向您借用一下?”他语速很快，急急地向他解释着。

男人手里握着一款漂亮的手机，目光灼灼地打量了他一眼，对他说：“对不起，哥们儿，手机是我老婆，不能外借。”

碰了这么一个大钉子，他好不尴尬。但是，没有什么比他心中的爱情更重要了。于是，怔了片刻，他又转身走到一个中年女人面前。他刚开口，女人便警惕地白了他一眼，把挂在肩上的包挪在胸前，目光越过他的头顶，投向远处。

迟疑了一下，他决定再试一次，这次如果还不行，他就打消打电话的念头。他走到一个女孩面前。还好，运气不错，这是一个善良的女孩。听了他的表白，女孩只稍稍迟疑了一下，就把手机给了他。他接过手机，连声说："谢谢！谢谢！"

女孩说："别谢了，快打吧。"

他的手指摁在手机键上，又一次怔住了。他的脑袋里是一片空白，怎么也想不起那串简单的阿拉伯数字来。他懊丧地捶了一下自己的头，眼泪都差点落下来了。他把手机还给女孩，说："我……忘了她的号码。"

女孩挑着好看的柳叶眉，不解地望着他，说："再想想，不用急。"

他苦笑着，摇摇头。

拿回手机，女孩揶揄了一句："你应该吃点脑白金。"

他机械地答道："一定吃，一定吃。"

看他傻乎乎的样子，女孩抿嘴一笑。

他睁大眼睛，继续在广场搜寻。两个多小时过去了，终于，他认定没有希望了，只好垂头丧气地打道回府。回到房间，他在第一时间抓起手机，果然，上面有十个未接电话，全是桑叶的。他急忙拨过去，对方已经关机。

那以后，何首乌再也没有联系上桑叶。

如今，两年过去了，何首乌依旧孑然一身。何首乌在给我讲述这段往事的时候，手里握着手机，不时神经质地看上一眼，好像生怕漏掉了什么。他告诉我，他已经对手机产生了高度依赖，一秒钟也离不开它了。他还告诉我，他特别向往农耕时代，那时候的人活得简单，活得纯粹，那时候的爱情，才是真正的爱情啊！

山那边

○孙　凯

新兵们来部队已有一个多月了，他们一直都想到山那边看看，可班长就是不同意。每当听到班长说谁训练成绩好就批准谁去山那边看看时，新兵们心里就痒痒的，同时更是干劲足足的。山那边到底有什么好风景呢？于是到山那边看看的愿望就成了新兵们刻苦训练的动力。

这是个星期六，新兵石柱在班集合解散前大声地喊了声“报告”说：“班长，我的训练成绩不错吧，你能不能批准我去山那边看看？”班长用眼睛看了看石柱说：“你训练时很刻苦，成绩是比其他新战友强些，但和成绩好的比不算最好……”

班长不用说下去，新兵们也知道班长要说啥了：“我们连是全师先进连队，什么‘投弹王’、‘飞毛腿’、‘神枪手’都出自我们连队，你们哪一个要打破他们创下的纪录，我保证批准你们去山那边看看……”石柱每次听到这里，心里就不服气。他心想：我不缺胳膊不少腿的，别人能行我一定也能行！

转眼又是一个月过去了，新兵们仍然没有一个达到目标的。石柱越发不服气了，他说：“我就不相信我达不到这个目标。”

为此他拼着命训练，训练场上成了一头凶猛的狮子。和石柱一起入伍的几个同乡都劝他，说石柱你别傻了，去不了就算啦，何必玩命呢。石柱说：“没有爬不上的山！”

班长看在眼里喜在心里，他暗暗地说："这小子有种!"三个月后，石柱终于成了神枪手。于是班长决定带石柱去山那边看看。石柱很激动。

星期天上午，班长向连长请假，连长同意了，并嘱咐石柱说："看到山那边的美景后回来向新战友宣传宣传。"石柱立正回答说："是!"

于是，石柱跟着班长出发了。他们爬了两个多小时的山，石柱边爬边问："班长，山那边到底是什么样子?"班长气喘吁吁地说："到时你就知道了。"

爬过最高的那座山峰，就到了山那边了。他们来到一个小镇上，镇上没有什么特别的地方。班长带石柱走进一家小吃店，班长要了两笼小笼包和两碗馄饨，叫石柱吃。石柱一心想看山这边的美景，什么也不想吃。班长就说："石柱，咱们吃过饭再看。"

吃过饭，班长又带石柱在镇上转了一圈。石柱忍不住问班长："山这边就这样子?"班长说："是啊——"石柱心里有股上当受骗的感觉，他很失望也很生气，班长喊他他也不应，找他说话他更是不理，他木偶似的跟在班长后面走着。班长很着急，想解释点什么，他见石柱脸绷着也就罢了。他们就这样一前一后无声地向连队赶去。

翻过一座山，眼看就要回到部队了，班长回头见石柱气鼓鼓的样子，就有意放慢脚步。可谁知全连的新兵们都等在营房门口，见他们回来后就一哄而上把石柱团团包围起来，像欢迎凯旋的将军一样。这个问：山那边怎么样？那个说：山那边美不美？石柱的心登时一颤，看着新战友们羡慕的神情，绷紧的脸上猛地露出了阳光般自豪的笑容。

石柱高兴地说："山那边的风景真的很美很美，美得无法用语言表达。"接着，新战友就问："石柱，你的训练成绩这么好，有什么绝招，能不能告诉我们?"石柱腼腆地说："我……我没有什么绝招。"

很高兴知道你

〇杨少衡

张林看见警察走过来，他忍不住打开车门喊人：“2577，喂。”

2577没听见。机场出发厅前车水马龙，挺热闹，声响很多，在这儿喊人得有大嗓门，否则难以引起注意。张林不便大声，因为警察在侧，也因为他连人家叫什么都不知道。2577，是囚犯还是劳教队员？大喊不宜。

张林看着2577挽着个年轻女孩拉着行李箱进了机场。然后警察走过来，把一张违章处理通知单夹在前方白色广本车的雨刷下。机场出发厅前的通道允许停车下客，即停即行，违章就吃罚单。警察没顾上给张林派请帖，不是他厚此薄彼，是因为张林坐在驾驶位上，随时可以把车开走，如此停车略略擦边。

张林管对方叫2577，因为该先生开的广本车牌是02577，头位零可忽略不记。张林熟悉这个号码，因为时常欣然相逢。张林在自家小区地下停车场里有一个车位，对方也有一个，就在张林的斜对面。两三年里，停车场出出进进，不免偶尔车辆交会，彼此礼让，这种时候总是多看车少看人，因此今天有幸邂逅于机场，“很高兴看见你。”还是认车不认人，有心打个招呼，不免哑口无言。

这天机场车多，警察特别努力，来回巡查，让张林向日葵般扭头追随，唯恐被警察高兴上了。忽然有人敲他车窗：“1723，喂。”

不是警察，是2577，独自一人。情急之下如出一辙，他也拿车号叫人。

“警察给你派单了吗？”

张林说没有。他没敢下车，始终坐在驾驶位，系好安全带。

2577说，警察怎么了！以前也到这儿送人，没事嘛。张林说今天人家高兴。2577说这才多少时间，最多十五分钟！张林说赶得巧啊。2577说下车时听到有人喊，急着走没在意，后来才想好像喊的是他车号。张林说他是喊了一声，没敢多叫。2577问张林到机场干吗？也送人？张林说儿子开学了，送他上飞机。2577说他也一样，女儿回校，中午十二点的航班。张林说他儿子也是这个航班，去北京。2577问孩子上的哪个学校？张林说是北大，今年大二。2577大笑，说你儿子真不简单。张林打听对方女儿怎么样？原来也在北大，也大二，只是不在一个系。

两人没太多时间交流高兴，因为警察走过来了。然后车门一碰，张林的妻子坐上车子。她说儿子过安检了，一切顺利。张林跟2577招手，赶紧走人。妻子问那人是谁？张林说是2577，女儿也在北大。妻子哎呀一叫，说早知道让孩子搭伴走，路上也有照应。张林说什么根底都不清楚，不怕儿子让人卖了？

一路匆忙，到家停车，2577居然赶在前头，刚在斜对面车位关上车门。张林拉住妻子，让她不急。他们稍等片刻，再尾随2577进入公寓楼。待人家电梯提升上去，他们刚好走到电梯间外，不必彼此碰头，可容从旁窥探。电梯标示牌显示的数字一路上升，停在七楼，那一刻张林倍觉奇异，有点温暖，真是“很高兴知道你”。

这一幢公寓楼一梯两户。张林住的恰好也是七楼，彼此竟是对门邻居。

杜鹃花开

〇蒋育亮

阳春三月，杜鹃花开。满坡满岭，鲜红艳丽。

在杜鹃花开的季节里，我和她邂逅了。

她叫杜鹃，二十多年前我的一名学生。

原本，对于当了多年老师的我来说，遇上一名学生，并不足以为奇。但杜鹃走过的坎坷历程，却实实在在让人惊奇。

1985 年秋天，我在一个偏僻的乡村当老师。我所教的班是集中了全乡四年级尖子生的重点班。

已经开课了。但一个名叫杜鹃的学生，仍然不见来报名。

我找到杜鹃所在的山村。那是一个步行三个小时才到的旮旯小屯。十几座低矮的茅草房，零星散落在山脚。

杜鹃是一个活泼可爱的小女孩。当她父亲从山里把她找回时，她手里还牵着一头壮实的黄牛。

“老师好！”她丢掉缰绳，很高兴地走到我的身旁。

“为什么没去上学？”我拍掉她满身的草屑，轻声问道。

她不出声，把右手藏在身后，畏缩地看了看她父亲。

“老师，是这样！”父亲将杜鹃拉回自己的身边，拽出她藏在身后的右手，“你看看，她的右手残疾，不方便。”

我清楚地看见，杜鹃的右手，是一个擂拳。

“再说，家里也穷。还要人放牛。”父亲愧疚地抚摸着杜鹃的右手，看着我满眼的疑惑，又说道：“都怪我，她烫伤后，家里没钱，我自己找草药给她治，结果手指手掌长在了一块。”说着，她父亲眼圈发红。

“不怪爸爸。”杜鹃说。

原来，杜鹃在做饭时，不小心烫伤了右手。父亲略懂药学，家里又无钱送她去医院，结果就弄成了这样。

“杜鹃的学习成绩挺好，就让她去上学吧。”我看见杜鹃满目期盼，心里怪难受的，“至于学费，我帮你们想想办法。”

杜鹃扯扯父亲的衣襟，很小声地说：“我想去！”父亲想了一会儿，点了点头。

“爸爸真好！”杜鹃高兴地跑回家，边跑边说，“我给老师做饭去！”

我记得，那一年杜鹃刚满十岁。杜鹃来到重点班后，却变得沉默寡言。尽管我狠狠批评了那些嘲笑她的同学，但私下里几名调皮的学生仍然叫她“铁拐李”。杜鹃常常有意识地将自己的右手掩藏起来。冬天，穿着宽大的外衣，将右手缩进袖筒；平时，整天将右手放在裤兜里；偶尔需要用右手时，也只是匆匆用过后就赶紧放回裤兜里。杜鹃还一度产生了退学的念头。

我买来有关张海迪、高尔基的书送给她。在书的扉页上，我端端正正写上“身残志坚，学习榜样”八个大字。

也许是平时太委屈，也许是当时太激动，接过书时，杜鹃泪眼婆娑了。

杜鹃学习很刻苦。课余时间，别的同学打球，聊天，玩牌，而她，只做两样事：孜孜不倦地看书，坚持用左手练字。

一个学期后，杜鹃的学习成绩已在全班首屈一指。

小学毕业时，杜鹃以全乡最好的成绩，考上了县重点中学。这一年，我也改行调到外地工作去了。离开前，我赠给杜鹃一幅字：杜鹃花开。

后面发生的这些事，是这次邂逅杜鹃亲口告诉我的。

在中学时，杜鹃学习依然勤奋努力。她并不在乎某些同学对她的嘲笑，她要用事实告诉大家，什么是身残志坚。她相信，“杜鹃花开”会有时。

几年后，杜鹃以优异的成绩考取了省城的师范大学。在面试时，却碰了壁。考官说：“你这样子是不能当老师的。”

她苦苦哀求，母校以及乡里县里的教育部门也出面说情，她才被作为特殊情况接纳了。

大学毕业时，她的学业极为优异。学校要她留校，她婉言拒绝了。省城的几所大学有意要她，她也没有答应。她义无反顾地回到了自己乡里的中学。她说，那里更适合她，也更需要她。

刚站上讲台时，她的右手确实将学生吓住了。于是，她在右手拳头上，描绘了好几朵淡红的杜鹃花。她对她的学生说，这是杜鹃老师的象征，也是为了让杜鹃四季花开。

如今，杜鹃老师已成为全县名师。她那只“杜鹃四季开”的右手，也早已闻名遐迩。常有各地老师赶来，一是观摩她的教学，二是一睹她的右手。

说到这里，杜鹃伸出她的右手，说让我也瞧瞧。手上几朵淡红的杜鹃，与自然的并无差异。只是显得更为精致，更为曼妙。

看着满坡满岭盛开的杜鹃，我百般陶醉！心里不禁喃喃自语：真是太美妙了！

我的股民老爸

○羽清雪

别看我老爸股份不多，可在股市摸爬滚打了十几年，是个货真价实的老股民。犹记当年他老人家入市时对我老妈说过的豪言壮语：“从今儿起，你每月的菜钱我包了。”结果我们翘首以盼等着看大钱生小钱，谁知道潮涨潮落涛声依旧，翻来覆去在股市里折腾的还是那三千块钱。

十分怀疑老爸在股市投资的动机。首先，一向兴趣广泛的他对任何新生事物都有无限的热情，股票只不过是其中之一。而我跟着他耳濡目染，围棋、音乐、书法、体育、戏曲样样学了个半吊子。当年每次在同学面前卖弄那些博而不精的课外知识时，开头必与我老爸有关：我老爸说了……据我老爸说……我老爸是这么说的……我问过我老爸了……最后我同桌模仿单田芳说评书的口音斩钉截铁地说：“我明白了，你爸就是那评书里说的‘人间的简客（剑客），世外的高人’。”

炒股在老爸的退休生活中充其量也就是他业余爱好的三十分之一，颇有些“小赌怡情”的洒脱不羁，左右不过三千块钱，无论输赢都不耽误他老人家看戏听曲。老爸现在对电视台的股评栏目已经钟爱到走火入魔的地步，从清晨到中午，从下午到晚上，各卫视台的股评栏目层出不穷，全线飘红或者一片惨绿，股评人总是口若悬河滔滔不绝。

一开始我是深恶痛绝的，因为每天还在睡梦里就能听见股市点评一个字一个字地蹦进耳朵里，分不清到底是庄周梦蝶还是蝶梦庄周，很有精神混乱的危险。晚上想看肥皂剧也得在《经济新闻》之后才能抢过遥控器，一部好好的肥皂剧看得七零八落。模拟信号换成数字电视时差点以为世界末日来临——居然有个频道24小时的股市传真……

后来才发现老爸收看股评的真正乐趣是：这哪是股评啊，简直是锦心绣口花样文章，从三十六计讲到大唐魏征，从古典名著扯到军书战略，洋洋洒洒引经据典，令人叹为观止。常常老爸赞一句：好口才！我在旁边叹一句：好文采！父女两个一唱一和，真心实意，发自肺腑。

证券营业大厅成了老爸退休后最常去的消遣场所，每天报到两次，风雨无阻。究其原因，简直让人笑不可抑。每逢开市人潮涌动，左邻右舍混迹其中，一干人等兴致高昂地天南海北侃大山。或笑东家出手早了，或叹西家不小心被深套，兴高采烈十分热闹。我常常觉得，那是炒股吗？那分明是小区业主的联谊会。

前些天老爸在路边下棋下得太尽兴，伞什么时候被别人错拿去都不晓得，于是，从此出门再不带伞。时逢雨季，这天老爸出门前特地喊了一声："下雨了记得来接我一下。"我笑翻了：天哪，这炒股的什么待遇啊？加入WTO的那叫国民待遇，老爸这明明是"股民待遇"啊！

最后一计

〇李剑红

有一个女孩非常喜欢上网，她觉得自己在网上像一条自由自在的鱼，在网海中游来游去。她给自己起的网名叫“小鱼”。

一天，QQ中有一个39岁的男人想加她为好友，女孩觉得奇怪，因为她的资料里填的真实年龄是22岁。男人首先送她一枝玫瑰，然后打着笑脸符号问：“美丽的小鱼，你家住在哪里？”

小鱼笑而不答。

男人又送一颗星星给小鱼：“美丽的小鱼，你的电话是多少？”

小鱼又是笑而不答。

男人发来信息：“在网上要真诚地聊天，要诚实，还要善良，只有这样才能交到好朋友。”

小鱼对他笑笑说：“我为什么要相信你？”

男人说：“因为我相信你，你是一条美丽的小鱼！”说完送给小鱼一颗微笑的小太阳。

小鱼打了一个笑脸给男人。

男人说：“小鱼，哥哥给你讲一个故事好吗？”小鱼说：“好。”

男人就开始打字给小鱼讲故事：

“从前，有一个渔夫，勤劳而善良。他每次驾着小船出海打鱼时，总是有许许多多的海鸥落在他的船头，甚至落在他的肩上，跟他亲密无间，就像是朋友一样，伴随他出海，与他一同度过在海上的日子。

“其他船上的人羡慕得要死。有人劝他：有那么多海鸥落在你的船上，干吗不逮几只？你的生活如此清苦，杀几只煮着吃了，补补身子也成啊。

“开始，渔夫不忍心伤害这些可爱的鸟儿。毕竟他们相处得如此融洽，就像朋友一样啊！然而，他终于经不住其他人的劝说。那一天，出海前，他暗暗下了决心，做好了逮鸟的准备。他像平常一样驾着他的小渔船，出海、撒网、捕鱼。

“奇怪的事发生了，海鸥们在海面上飞翔，却没有一只在他的船头歇脚，而且都离他的船远远的，仿佛都知晓了渔夫的心思。”

“所以说，一个人的真诚是装不出来的。”男人补充说。

小鱼陷入了沉思……

男人又问：“你在听吗？”

小鱼说是的。

男人问：“对人要真诚，你说对吗？你要相信我。”

小鱼说是的。

男人问：“你在家上网吗？”

小鱼说是的。

男人说：“可以把你家的电话告诉我吗？哥哥真心想成为你的朋友。”

小鱼说可以的。于是准备发消息告诉男人她的电话号码。

这时男人发过来一个网址，小鱼点开，是一首优美的 FLASH 爱情歌曲《好爱好爱你》。

与此同时，小鱼的网络防火墙报警：“有木马冰河程序将要侵入本机是否同意其进入？”

木马冰河是一个黑客病毒程序，如果进入机器，下一次小鱼上网时男人就可以自动联机，控制她的机器。

小鱼瞬间明白了，她点击：“不同意。”那首《好爱好爱你》网页瞬间自动关闭。

这时，男人温柔地发过来一条消息："歌曲你喜欢吗？我可爱的小鱼。你的电话号码怎么还不传过来?"

小鱼问男人："三十六计的第一计是什么?"

男人答："瞒天过海。"

小鱼说："瞒天过海的意思是不是说，运用欺骗的手段，暗中行动?"

男人说："我可爱的小鱼，你要相信别人，因为相信别人是一种幸福!"

小鱼说："你的故事讲得很好，一个人的真诚是装不出来的，魔鬼有时会化装成天使。三十六计的最后一计是什么?"

男人说："走为上。我还有事，我得先走了。"

老伙计

○康燕芬

一大早，张段长就来到了检修线。

转盘小路的两旁，一边是小桥流水、亭台回廊，让人心旷神怡；另一边是高大、宽敞的检修库。可是，他却一点儿也高兴不起来。

他走到机车转盘前，远远的就看见一台蒸汽机车停在股道上——这是最后一台蒸汽机车了，明天这台车将被解体。机车在鲜红太阳的照射下，神态凝重、满身疮痍——这就是当年挟风裹电驰骋万里的老伙计吗？张段长的心里一阵酸楚，一只手不由得伸进口袋，摸出那只数码相机，他要和他的老伙计作最后的诀别。

突然，从机车上传来炸雷般的声音："注意望，闯坡了——"

张段长一惊，谁在上面捣乱？听声音又不像小孩。他收起相机，脚下的步子加快了。忽然，他被眼前的景象惊呆了，司机王大业端坐在驾驶座位上，两眼凝视着前方，手扶操纵装置，嘴里不住地吼着："闯坡啦——水满汽足，呜——"

过了好一阵，王大业拿过一把棉纱，开始擦拭机车，嘴里一边喃喃地念叨："来，老伙计，咱干干净净上路，免得到了那边人家嫌咱脏……"

张段长的眼泪刷地下来了，他喊了一声："师傅！"

王大业两片厚厚的嘴唇抖了抖，粗大的手搓着手里的棉纱，想说什么，但什么也没说出来。张段长从他手里拿过棉纱："师傅您歇歇，让我来。”

张段长开始擦车。他认真地擦拭着每一个部件，连一个蒸汽阀、水阀都不漏掉，虽然它们大都伤痕累累，甚至残缺不全。此间他们俩谁也没有说一句话，渐渐地太阳由彤红变成了金色，张段长已全身是汗。终于，王大业满意地点点头说：“可以交班了。”

张段长这才停下了手中棉纱的擦拭，从口袋里掏出烟，恭恭敬敬地递过把火点上。他深深吸了一口然后问：“师傅，我记得你跑了三十年车了吧?”王大业点点头。

“您还记得，我刚跑车时，跟您学徒，有一次我检汽缸排水阀时，敲重了，你狠狠骂了我一顿吗?”张段长笑笑，问。

“记得，怎么不记得。”王大业有点儿不好意思，“我的脾气不太好。”

“您骂得对！是您让我懂得了怎么爱车，爱自己的岗位。”

王大业更不好意思了，他习惯性地敲敲自己的右臂膀，像个害羞的小姑娘那样红了脸。张段长关心地问：“师傅，胳膊又痛了?”

老王说：“没事，开了一辈子车要是不痛那就怪了。”

张段长吸了口烟，想了想说：“师傅，下岗名单贴出去两天了，看到了吧?”说完，两眼有点儿紧张地盯着王大业的脸。

没想到王大业痛痛快快地答道：“看到了，该是下来的时候了。这事我想了很久，现在都是内燃机车，连电力机车都不少了，我对这玩意儿，一点儿也摸不着头脑。机车这玩意儿，不是半吊子就能开的，有一点儿不熟，就要出大事。我不开车可以，但你千万不能撵我离开机车，我来义务看车库行不？天天看着机车出出进进，我心里才踏实。”张段长当即答应：“行行，师傅，只要你开心。可是咱们这台 1802，明天就要报废拆解了……”

张段长说不下去了，眼里全是泪水。王大业说：“我早就料到这一天了。唉，拆吧，它也老了。”

这时候一声轻轻的风笛声响起，一台崭新的内燃机车出库了，张段长、王大业站在线路旁，看着机车慢慢驶过。年轻的副驾驶一脸稚气，他举起右手，规规矩矩地向这两个人行了一个很标准的敬礼。

这时，远处正有汽笛声划破天空响起……

让叔用用你的手机

○赵素莲

这一天下着大雨。女孩改乘公交车去上班。

由于天气不好，坐公交的人明显多了起来。女孩上车后，只有最后一排靠窗的位置还有个座位，女孩就走了过去。

女孩很时尚，那一头长长卷卷的秀发，让满车飘香。她从那个大大的斜挎包里掏出纸巾，将座位擦了又擦，然后才皱着眉头坐下。

女孩坐下时，旁边的两个小伙儿很善意地瞅着她笑了笑，并向一边挪了挪。女孩也瞅他们笑笑，皱着的眉头舒展了些，也许是美女碰到帅哥的缘故吧。这俩小伙儿都西装革履的，特别是那标致的寸头，抹得油亮油亮的，一根是一根地竖着，特精神。

女孩不时地用手理一下，又理一下自己的长发。两个小伙儿被搞得心旌摇曳，在座位上显得不安起来。女孩瞅着窗外，非常陶醉。

不到五分钟就是一站路。很快，车开到了下一站。又上来一个乘客，五十多岁，看打扮像是农民工。他穿着一身橘黄色工作服，身上布满了灰点，虽然上车前披着一块塑料布，但还是被淋湿了，乱而脏的头发不时地往下滴着水。

售票员说，大叔，请您往里走，往后站。

农民工扶着椅背往后走。突然，农民工对着女孩大声说：闺女，给叔用用你的手机！

女孩愣了，说：你谁呀？干吗用我的手机？

你叫叔用用你的手机，快点儿！农民工对女孩命令道。

女孩急了：你干吗用我的手机？你到底谁呀？

农民工目光里充满了焦急：你打开包把手机拿出来，让叔用用你的手机！

谁叔啊？谁叫你叔啊？乡巴佬儿！神经病！真是莫名其妙！女孩继续把脸扭向窗外。

你看你这孩子咋恁不懂事，出门才几天，就连叔都不认了。你快打开你的包，让叔用用你的手机！农民工说着，朝女孩走过去。

你想干吗！女孩愤怒地瞪着农民工站了起来，并赶快将包拉向了怀里。女孩这时才发现包的拉链不知何时被人拉开了。女孩瞅瞅旁边的两个帅哥，又瞅瞅农民工，瞪大了眼睛。

很快到了下一站，两个小伙儿站起来要下车。在经过农民工身边时，其中一个狠狠地在农民工脚上踩了一下：叫你多管闲事！农民工哎哟了一声。

女孩赶紧走过去把农民工扶到座位上。

女孩的连声道谢让农民工不自然起来，近乎卑微而憨厚的笑容一直挂在他的脸上。农民工沉默了，这时车上的人却发话了，七嘴八舌的：姑娘啊，你得好好谢谢这位大叔，那两个小伙子是小偷，经常在公交车上偷东西，要不是这位大叔，兴许你被偷了还不知咋回事哩！

原来他们早就发现了，但为啥刚才没一个人吱声呢？

平　静

〇朱利生

半山小学有9个老师，天天吃饭，上课，晒太阳，端着水杯聊天儿，日子本来过得很是平静。

上级见半山小学9个老师教5个班，心血来潮让他们请个代课老师，每月只有300块钱，寒暑假不拿工资。

300块钱一个月，鬼才来。9个老师月月八九百块都不够用。

但却真有人来，叫阿梅，她家里穷，还带着孩子。9个人都笑。

据说阿梅只读到初二，9个人又笑。看这教育局弄的，300块钱，不如每人多教两节课，分了。

但想归想，谁也没明说。谁肯为300块钱折腰？分到脚下，也只抵得几个烟钱。

300块的阿梅，说来就来了，也正儿八经地上课、改作业、管学生，和八九百块的老师平起平坐。

日子开始不平静。因为只读初二的阿梅教书仿佛是博士后，300块像拿了3000块。学生们都围着阿梅转，一个个笑得小太阳似的，成绩呼啦啦地长。9个科班出身的老师彼此照面，都是说不出的尴尬。

日子真是不平静，高谈阔论忽然少了很多味道。阿梅只得300块钱，还是教育局发的，但9个老师都像阿梅抢了自己的钱似的，都冷冷地躲着阿梅。

好在这样的日子只过了半年，上面一不小心分来一个大学生。大学生一脚戳在这山旮旯里，生生把个阿梅给戳走了。

学生们昏天黑地地哭，9个老师莫名其妙地笑。什么世道，还是硬本本吃的饭长。

平静又开始回来，太阳又晒得有趣起来。

大学生每月工资一千多块，却不满意，天天阴着脸上课，有时干脆不上。学生听他的课如听天书，都想着阿梅老师，成绩像割韭菜似的，一茬一茬地倒。

9个老师却奈何不了他，他的本本硬，工资高，不像300块的阿梅。真是误人子弟，但那是教育局的事，不是老师的事。

9个老师只是气，凭什么混日子也得一千多？这日子真是没法平静！

大学生也有自知之明。他不知怎么找到阿梅，让阿梅替他上课，把工资都给她。他自已，却跑到广东去了。

阿梅不要一千多，她只要有课上就很高兴，学生们也很高兴。这比什么都值。

阿梅最后只得700块，还是大学生坚持给的。剩下的，都归了学校的小金库。说好了，小金库只9个老师分，阿梅不分。

走了一个人，来了一个人，课没多上一节，工资却平白无故长了，真是好事。9个老师照样吃饭，晒太阳，喝水，聊天儿，心里隐隐地笑，盼着年终来临。

钱，真是个奇怪的东西。

可是这样平和的心情没有持续很久。一个消息打破了半山小学的平静——那个连小学生都教不好的大学生进了一家公司，据说一个月工资就五千多。

9个老师第一次发现自己的傻——人家在外面发财，自己还傻乎乎地帮他守着“铁饭碗”，真是傻得不能再傻。

于是大家愤然，连夜联名写信，反映大学生擅自离岗事件，强烈要求教育局作出处理，否则也要让自己的老婆孩子代课云云。9 个老师以为教育局出面，大学生一定得回来和自己同甘共苦。可是他们很失望，大学生根本不想回来，教育局只好将他除名了事。

发生了这样的事，教育局对半山小学大为恼火，认为花 300 块钱请一个代课老师根本没有必要，所以阿梅只好第二次离开了她所喜欢的讲台。

1000 块没了，小金库没了，阿梅走了，9 个老师又回到先前的日子。但奇怪的是，9 个老师的心情却出奇地好。

半山小学又恢复了往日的平静。

美丽的困惑

〇吴翼民

月贞今天将参加女儿学校的家长会。

月贞很看重女儿娜娜学校的家长会，也很乐意参加这样的家长会，她特意向单位请了假，临出门时打扮修饰了一番。其实她用不着多修饰打扮的，她本来就是个美人坯子——高挑儿匀称的身材，秀气的脸庞，高雅的气质，虽已过了不惑之年，却依然洋溢着迷人的气息和光彩。也就是由于这天赋的“资本”，她非常乐意去女儿的学校，却谈不上炫耀——笑话，她有什么必要到学校、到老师和学生们面前去炫耀呢？

在社会上每处每时她无意炫耀却胜似炫耀，唉，美丽的女人真够累的，出现在哪里都会无端罩上无数缭乱的目光。她只是想让女儿因她的到来而欢欣鼓舞，甚至增加几分自信。说实在的，女儿娜娜在学校里各方面都很平常，就连外貌也与她这个母亲相去甚远。她是有体验的，女孩子外貌出众，在学校里就会有众星捧月般的娇宠，就会自信，不定就会因此而学业优异……可惜女儿没这样的福分，那就只有借助她这个美丽的母亲了。她深谙其中的奥妙。她希望女儿的学校经常开家长会，让她自然而然地出现在老师和学生们的面前，让他们因她的美丽而看重她的宝贝女儿娜娜，哪怕是短时间也好。她记得几年前，女儿还在上小学，一次她出席了家长会，过后教数学的华老师就对娜娜另眼相待了，尽心尽意地辅导娜娜，娜娜的数学成绩很快进入了班级前三名。后来她去面谢华老师时，华老师竟说了这样的话——“那是因为娜娜是您的女儿的缘故。”她明白，华老师这样说绝对不是心怀叵测。

啊，真是不可思议！

她步履轻盈地走进了女儿的学校，照例受到了师生们赞美目光的热烈欢迎。她留意女儿的形迹，看到女儿站在远远的地方看着她，表情有些怪异，与前些年主动前来迎候她的情景大不相同。她想，怪不得女儿对她前来出席本次家长会那样的闪闪烁烁、举棋不定。两天前女儿亮出家长会通知时就显得很犹豫，虽然点了母亲，却不怎么由衷。月贞以为这是明摆着的，她是出席女儿家长会的最佳人选。娜娜的爸爸虽然是个领导干部，却长得五大三粗黑不溜秋，像个煤球厂的工人，娜娜从来没让爸爸参加过家长会。她有点儿纳闷儿——今天女儿怎么啦?

纳闷儿归纳闷儿，月贞估计离开会时间还早（她是特意提前来的），就主动向女儿走去，在一棵大树背后叫住了她。

“娜娜，你怎么啦?”

“我长大了，妈，你别老盯着我。”

“不喜欢妈来你的学校?”

“妈，你开会去吧，别盯着我，让同学看见多……多不好意思。”娜娜是在躲避她，挪步离开的时候又说了一句：“妈，你坐到教室角落里吧。”

月贞如坠云里雾中，她低头看了看自己的打扮，并没有出格之处，连嘴上的唇膏也是淡淡的。她很自重，打扮得像学生般清纯，她知道学校的环境，也理解女儿的心思，可女儿今天到底怎么啦?

她没忘记女儿的请求，进入教室后就悄无声息地坐到了角落里，她依然感觉到家长们以及在教室窗外观望的学生们目光的投射，奇怪的是这些目光中不见女儿稔熟的目光。

家长会仍是老套子，没有任何新意。散会后她骑车回到家，女儿早早地在等着她了，脸上阴阴的，冲她说：

"妈，你为什么这样漂亮?"

她笑着回答：

"妈本来就是这样的嘛，又没有刻意打扮。"

"同学们在暗中比评了，还是你最漂亮。"

"妈漂亮不好吗?"她仍是笑得甜甜的。

"妈漂亮，我就显得更加难看了。"女儿显得好生委屈。

"原来如此。"她心中的疑窦解开了。

"同学们都说我……我肯定长得像爸爸，说我……我爸爸肯定非常难看。又……又说妈妈肯……肯定贪图爸爸什么了。还……还说，你说不定是……是情人哩……呜……"女儿终于忍不住哭出了声。

"……"她颓然。

自己买车自己开

〇西　瓜

在驾驶员培训中心，王豫和李刚住同一间宿舍。两个人的年纪，都接近40岁，只是身份不同。王豫是学员，李刚是教练。教练一般不和学员住同一个宿舍，但也就这么住了。几天下来，两个人很谈得来，谁也不觉得有什么不对劲儿。

这天晚上，两个人一起聊天儿。李刚问："王豫，你都快40了，怎么还学车啊?"

其实快40岁的人，学车的也不少。尤其是一些单位的领导，自己学会开车，方便。但李刚了解到王豫并不是单位的领导，而且性格喜欢安静，也不大喜欢开个车到处跑。

王豫说："其实我早就想学了，可是以前自己没买车，学了也没用。我从二十多岁就想买辆车，直到现在才凑够车钱。所以我现在才学车。"

李刚说："你要真想学车，可以先学后买啊。为什么非得先买后学呢?"

王豫说："先学后买，没用。就是先贷款买了车再学，也还是没用。"

"没用?"李刚听不明白。

王豫笑笑："我要是直说了，你可别说我这人没出息。"

李刚说："不会不会，你说。"

王豫就说了。

原来王豫上高中的时候，有个女同学，和他很要好。这个女同学身材高挑儿，模样也漂亮，性格又泼辣。王豫很喜欢她，就在心里下决心：非她不娶。后来高中毕业了，女同学直接就业，王豫上了大学。上大学期间，两个人一直没有中断联系。大学毕业，王豫就去找那个女同学，求婚。

女同学对王豫哪里都满意，可就是嫌他没钱。她指着路边开过的一辆轿车，说："看见没有，如果你有一辆自己的轿车，我就嫁给你。"

那时候的王豫二十多岁，年轻气盛，说："你等我三年，我买了车，开着来娶你。"说完掉头就走。

三年里王豫换了好几次工作，一次也不满意。其实这些工作也都不错了，可若凭这份工资，30 年也存不够一辆轿车钱。王豫很羡慕那些毕业一两年就能挣大钱的同学。可是每个人都有自己的命运，勉强不得。三年一眨眼就过去了。这三年里，他没有再和那个女同学联系。三年过后，干脆就不联系了。一辆车难倒英雄汉，真是无可奈何。

日子一天天过，一晃，已经快 40 岁啦。王豫自己攒了一些钱，加上汽车降价，终于买到了自己的轿车。

李刚安安静静地听完，问："所以你现在才来学车？你是不是想再把这车开到那女同学面前转一圈儿，让她嫁给你？"

王豫笑笑："那怎么可能啊？其实我现在过得挺美满的，老婆孩子都很好。这买车的钱里，有一部分是我老婆的血汗啊。"

"那你不想去找你那女同学了？那买车学车干吗？"

"我想的。我想开着车去她面前转一圈。可是我不知道她在哪儿。这么多年了，她应该早就嫁人了吧。我和她，不可能再有什么了。我就是想让她知道，当年说过的事，我做了。"

李刚长长地叹息了一声，说："其实，我当年的经历，和你还真有点儿像。"

王豫听他这么说，也很想听一听。

李刚就说了。

原来当年李刚也认识过一个女孩子。身材高挑儿，模样漂亮，性格也泼辣。两个人相处很好。到二十多岁的时候，李刚就向那个女孩子求婚了。女孩子也指着路边开过的一辆轿车，说："看见没有，如果你也有一辆自己的轿车，开来向我求婚，我就嫁给你。"

半个月以后，李刚真的开来一辆轿车，女孩真的嫁给了他。

王豫听得眼睛瞪老大，问："后来呢?"

李刚说："后来啊，后来我们结了婚，就一起还那辆车的贷款呗。几年都还不完。后来干脆把车卖了——那时候车子已经值不了那么多钱了，总算还清了钱。"

"再后来呢?"

"再后来……再后来我除了一身开车的好技术，什么也不会，就到这里来打工，教人开车啦。一晃，快40岁了!"

王豫笑了："你不是逗我吧？我现在都想问你老婆是谁了!"

李刚也笑："这不能告诉你。如果我老婆真是你当年那个同学，这不成了故事了!"

我爹演过匪兵甲

○左显辉

我爹四十多岁了还要出门打工。

我爹先在工地上做小工。这活儿没有什么技术含量，干起来也轻松，可就是挣不到钱。

为了能多省点钱，我爹每天只吃两顿饭，早上一顿晚上一顿，中间饿了就喝水。

除了在吃喝上尽量节省，我爹还趁工地休息的时候到外面打零工，比如送水，比如到车站扛包袱，比如到医院背死人……

慢慢地，我爹发现自己的体力不如从前了。那天我爹到医院背完一个死人往回走，走到半道上有点头晕，于是就坐在路边休息。这一坐，我爹就当了演员。

当时我爹正坐在路边迷糊，一个人走过来，也不知道叽里咕噜说了几句什么话，然后拉着我爹就走。我爹是个老实人，看拉他的人也没什么恶意，就迷迷糊糊地跟着那人走。后来，我爹就穿上了破烂的战袍，脸上也给抹上了乱七八糟的东西……完了有人给了我爹30块钱，我爹这才知道自己就这么迷迷糊糊地当了一回演员。

当一回演员能挣30块钱，我爹高兴得不知说什么好。

就这样，我爹开始了自己的“演艺生涯”，他放弃了送水，放弃了扛包，放弃了到医院跟死人打交道，一有空儿就跑到剧组大门口等着接戏。

我爹这么喜欢演戏，除了能挣比较多的钱之外，更重要的是我爹发现自己居然迷上了演戏的活儿。以前在电影里看别人演戏，觉得很简单，等到自己整天忙着演了，我爹才发现当演员其实也不容易。情况好的时候他一天能接两三场戏，情况不好的时候就一场也接不到。如果遇到一个好导演，说戏的时候还能温和一点；如果遇到一个脾气大的主儿，我爹他们那些人就给骂得跟孙子一样。

自从进入了“演艺圈”，我爹先后演过农夫、路人、伤兵、尸体等角色。演这些角色不需要什么技巧，可我爹演得有滋有味。

自从当上了演员，我爹的精神面貌有了很大的改观。他在写给我娘的信中多次提到“剧组”、“导演”、“剧务”、“制片人”等词语，让我们觉得我爹确实胜过了以前。我娘甚至开始担心我爹会变心，怕我爹在外面找年轻的女人。

我娘担心我爹会变心的时候，我爹正在参加大型电视剧《唐太宗秘史》的演出。那个电视剧里有不少战斗场面，我爹主要演作战的士兵和战死的士兵，有时候还演一演耕地的农民和砍柴的樵夫。因为活儿太多，我娘到城里找我爹的时候，我爹只“接见”了她十分钟，然后就又投入到了繁忙的工作中去。

就这样，慢慢地到了年关。我爹打电话说他要“出外景”，没法子回家过年了。

没想到，就是这次“出外景”完全改变了我爹以后的生活。我爹跟着剧组到深山里演土匪，一会儿上山，一会儿过河，本来就累得够戗了。在拍土匪头子跳崖那场戏时，因为找不到替身，导演让我爹演。导演说演好了可以多加200块钱。看在钱的面子上，我爹勉强同意了。结果我爹从崖上掉下来的时候出了意外，摔伤了一条腿。导演给了我爹2000块钱做医药费，我爹不愿意。导演说，只要你同意这个赔付，就可以在电视剧结尾出字幕时打上你的名字，而且还可以送一份刻有你名字的电视剧拷贝。我爹想了想，答应了导演。

回家后修养了一段时间，我爹的腿落下了轻微的残疾，走路的时候，一拐一拐的。

后来，我爹买了一台 VCD 播放机，有空了就看那部有他名字的电视剧。

刚开始我和娘还陪着我爹一起看，结果还真在结尾处看到了爹的名字：匪兵甲——赵卫国。可是我和娘看了半天也没看清楚哪个人是匪兵甲。后来我爹就一个人看，一边看还一边笑，那样子跟得了奥斯卡最佳男主角差不多。

再后来，那部电视剧在电视台上演，我看了半天，发现结尾居然没有打上我爹的名字。娘说千万别让爹知道。可最后还是让他知道了。

知道真相那天，我爹一整天没有说话。傍晚的时候，我看到他独自一人，一拐一拐地走到村东头，蹲在草地里哭了。

我知道，我爹的“演艺生涯”就这样结束了。

买车以后

○谢　力

朋友中，王是个凡事讲理论道的人。比如找老婆，他说："美的不能要，心活，太累；丑的不能要，心死，太烦。要找就找个稍有姿色的，她高不成低不就，还不沿着铁轨一直朝前走?"还真对了，他找了李映梅，七八年风平浪静，把他喂养得现在还像个阳光男孩。

两年前，朋友中掀起购车热。他对大家说："买车也如娶媳妇儿。贵的不能买，宝马不是你开的。就算买得起，也养不起。十来万的不能买，款式是新，但过时也快。过几年还得换，不仅烦，也划不来。要买就买二十万以上的，大气，款式定型，就是过时也要好多年。媳妇儿是不能经常换的，车也一样。"有这个理论支持，他不顾家庭消费超标的提示，贷款买了一辆近三十万元的车。提车当天，他兴头十足地拉上李映梅满街跑。

那一阵，王确实很美气，有事没事开车上路，人家遛鸟遛狗他遛车。有时还压黄线，在车流里享受超越与自由如风的快感。不过也有代价，年底收到一沓罚单。他悄没声息揣进包，仿佛黑了哪路外财。他还不远千里，开车到李映梅的老家——一个鸟不拉屎的穷山沟——转了一圈。不过山里孩子没开过眼，把漆黑的车体当黑板了，用很尖利的石块在上面划了"好好学习天天向上"八个字。字丑，间距却大，疏可走马。心疼得王差点弹跳起来，掴人的手在空中划了一下，又收回来了，对老岳父说："没事的，由保险公司赔。"老岳父不依了，满山追着孩子打。

让王有揪心之痛的，还不仅仅是那几个字。从山里回来，车价纷纷跳水——他买在拐点了。新车到手，新鲜劲还没过就贬值，这是他始料未及的。他以前不大看报，现在每天买报看车市。看报时都在心中说："不能再降了，再降真的吃不消了。"如果哪天没他那款车降价的消息，他就高兴，对同事说："你那车又降了。现在这车市，'跌跌'不休啊。"一旦有他那种车的新款出现，他也紧张。新款意味着有更好的配置。价跌且配置又好，说明他的车无形中一贬再贬。那天看到他那款车一次性降了一万元，他大叫起来："妈的，车子降价，厂家不心疼，倒是我们这些买车人心疼，每降一次，就像割一次心头肉。这还真叫宰人啊。"

终于报上说，车价已跌到谷底。王坐在路边的长椅上，长舒一口气，累得像老股民。粗算一下，一年不到，他的车一级市场至少跌三万。二级市场价值几何？搞评估的朋友说了一个数字，仿佛一场飓风，吹得他坐立不安，满脸赤红："不会吧，我是豪华版，自动挡，还带天窗啊。"朋友笑说："新车一到手，就成二手货了，跌价是正常的。不是说，不在乎天长地久，只在乎一朝拥有？你只要拥有过开新车的那种感觉就行了。"

王虽不同意朋友的话，可心态自此改了不少。有一天李映梅问："怎么好长时间不听你唠叨车了？"王笑说："那车现在是我情人，我的天职是把它保养好，议论那是别人的事。"一次小聚，有个朋友又谈起新款与降价的事，突然转首问王："你那款怎样了？"此时王抿了一口小酒，徐徐道："管它呢，新车越贱，我车越贵；新款越多，我车辈分越高。"

此语一出，举座大笑。

铜项链

○詹　蒙

2003年，我在日本东京读预科班，准备两年之后在日本考大学。

第二年，我租的旧公寓到期了，房东不肯续租，我又一直找不到合适的房子。当时已经是冬天，寒风刺骨，又下起了雪。我颓丧地坐在川崎市新丸子车站的长椅上，哭了起来。

一位老人坐到我旁边，微笑着说："孩子，你这么年轻，有什么伤心事一定会过去的。"倾诉的渴望让我迅速擦干眼泪，不管不顾，滔滔不绝地把全部的惶恐和委屈说给她听。

老人无法止住我的哭泣，她拉着我的手离开车站。像是被催眠，我任由她牵着，一直走到她的家里。那是一座破旧的住宅楼，房间里摆放的家具都属于上个世纪。老人生硬地叫着我的中国名字，说，如不嫌弃就请留下来，总胜过流落街头。遇到这样的好人，像是奇迹发生。就这样，我总算安定了下来。

老人很孤独，从不提及自己的丈夫。她只有一个儿子，住在大阪，一年才来看她一次。老人有糖尿病，腿脚已不灵便，她却坚持不肯去医院。在我一再追问下，才知道她已经很久没有交国民健康保险了。

我偷偷地为她办理了国民健康保险。当我把黄色的国民健康保险证交给她时，老人捧住我的手，激动得说不出一句话。第二天，我请了一上午假陪她去医院。老人的糖尿病已经相当严重，眼底毛细血管破裂，马上会双目失明，而且很可能并发尿毒症。回家的车上，老人安慰我说：“一个孤老婆子，活与死对这个世界的意义都不大，不要紧。”

我把仅有的78万日元（相当于5万多元人民币）的存折塞给老人：“用这钱去住院吧。”我没给老人推辞的机会，我告诉她我还很年轻，钱可以再挣到。办理了住院手续，我才知道我那可怜的78万日元只够她全部住院费的4/5。

2005年初夏，为了支付住院费，我没日没夜地打工。这期间她儿子来看过她一次，扔下为数不多的钱就走了。第二个月，老人失明了，并发的尿毒症开始吞噬她的残躯。老人被转入特殊单人病房。

8月的一天，我下课后去医院看她。一位陌生的男子见到我之后，如释重负地塞给我一张纸说，他是川崎市公立律师事务所的藤山一行，已根据老人的意愿为她起草了遗嘱，只等我替老人核对，同时告诉我，老人的儿子已经放弃了对母亲财产的继承权。老人已经把她全部的、根本不能叫财产的财产给了我，老人让我将她枕边的印章拿出来，在“和田洪子”名字上盖了“和田”的私人用章。

律师走后，老人从她那满是皱纹的脖子上把一条粗笨的铜项链摘了下来，在空中比画了半天才戴到我脖子上。她说：“孩子，这条项链是我丈夫生前的馈赠，跟了我五十多年。他是九条道孝的外孙、大正贞明皇后节子娘娘最小的外甥、日本最著名的华族（即贵族）家族的后代。这么多年了，这条项链是我的全部。别看它丑陋，东西是否珍贵不要仅凭外观来判断。答应我，在任何情况下不要把它送给任何人，要对它不离不弃。”

2005年10月，老人辞世。她的儿子拒付母亲的住院费，理由是遗产的继承人也该继承债务。那时，我还欠医院20万日元的医疗费。

简陋的丧葬之后，我又开始忙着找房子，报考一个专门学校，生活实在是非常艰难。我和医院协商，住院费可否再缓半年，因为我必须没日没夜地靠打工赚取专门学校的50万日元的入学费。直到2007年5月，我才还清了医院的债务，成为自由人。

一天晚上回家后，我在灯下反复端详那条项链，实在看不出有什么特别。我带着项链去了东京权威的古董店——神田二天门店。店主用放大镜端详了老半天后告诉我："这的确是一条老项链，从重量上看很可能是铜皮里包裹了其他东西。"洪子夫人临终时说，东西是否珍贵不要仅凭外观来判断。她在暗示我什么吗？我下定决心弄清真相，于是让店主打开了那层铜皮。铜皮里有一颗硕大的钻石，大约3克拉大小，镶在圆形的白金座中。我们都惊呆了。店主在检测了钻石的纯度与色泽之后对我说："小姐，你已经是一个相当富有的人了。"

我用手帕将项链包好，在恍惚之中回到了公寓。老人一生困苦，至死都不肯出卖这条项链。然而我始终不解，为什么她在临终时不肯对我说明真相。直到有一天，我路过川崎市公立律师事务所才明白，老人怕我知道真相后在她儿子面前露出破绽——她知道我禀性不擅撒谎。

金马车

○元　耳

他原来是不想送女儿到这家幼儿园的，他知道自己只是个下岗工人，而在这所幼儿园入托的孩子的父母大多属于高收入阶层。可园长为了照顾他，在减免了一半学费让他的女儿入托的同时，还让他为幼儿园送菜，这样也方便他接送女儿。

可他也马上感觉到了女儿的异样，这也是他最担心的。他怕女儿在这些贵族孩子中产生自卑感，而给她幼小的心灵套上沉重的枷锁。那天女儿放学时，他骑着那辆送菜的三轮车去接，女儿奶声奶气地问他："爸爸，你什么时候用汽车来接我啊?"女儿还告诉他班里的小朋友穿的衣服可漂亮啦。他语塞，每次接送女儿从那些停在幼儿园门口的宝马奔驰中穿行时，他也有一种生活的沉重感。可他没有钱，虽然也渴望自己能有钱能有车，可他承载着一家人生活的压力，只是希望自己能身体健康，这样每天能按时送菜到幼儿园，赚取一些辛苦钱。

思考了好久，那天送完菜后他去找园长。他对园长说，我想把女儿转到别的幼儿园。他说出了那家幼儿园的名字，虽然路途远了点，接送孩子也多了些麻烦，可那里孩子的生活条件都和他家差不多。园长问他，为什么，这里不是挺好的吗？他嗫嚅了好久，才编出一个理由，说女儿喜欢到那儿去。园长意味深长地看着他，看得他心里都发了毛。还好，园长没再继续问什么，只是说接女儿前到她那里去一趟，要不他真不知道该不该说实话。

下午他准时去找园长，园长递给他一大捧五颜六色的塑料花，说是让他把三轮车装饰起来，这样更能体现幼儿园的特色。他心里一阵苦笑，大街上哪有三轮车上插满花的，一个大男人骑着这样的车子去送菜还不被人笑话死。可在人屋檐下，不得不低头。他也知道只有遵照园长的意思才能保住自己的这份工作，便闷声闷气地出去装饰车。

当他刚把三轮车装饰好，园长带着一群孩子走了过来，前面的一个女孩见了他就大喊“爸爸”，那是他的女儿。他也认得那群孩子，是他女儿班级的。

园长指着那辆三轮车对孩子说，这就是灰姑娘的金马车，大家看漂亮不？孩子们都兴奋地大叫，好漂亮的车啊！然后便争着要坐上去。园长让孩子们排好队，轮流把孩子抱上三轮车，然后让他在幼儿园的操场中缓缓地骑一圈。车上的孩子很是兴奋，唧唧喳喳地说着，说是比他们家的轿车漂亮多了。他以为孩子在说笑，他只希望那些孩子别回家对父母说起他的三轮车，这样会让女儿在幼儿园里更难堪。

终于让那些孩子在他的三轮车上过足了瘾。带着女儿回家时，女儿高兴地对他说，爸爸，幼儿园里数我们家的车子最漂亮了，小朋友们都喜欢这满是花儿的“金马车”。他不知道女儿所指的“金马车”是什么，便好奇地问女儿。女儿说，今天老师给我们讲了《灰姑娘》的故事，那美丽善良的灰姑娘坐的就是金马车。女儿还告诉他，老师说故事中的金马车和他的车差不多，满是花朵。女儿说着，一脸的自豪，为自己能天天坐着这金马车回家而自豪，仿佛自己真的就是故事里那个善良美丽的灰姑娘。

在前面使劲地蹬着车，他感到眼里有些湿润，他知道园长是在用她的善良维护孩子可贵的自尊。骑着车穿行在那些轿车中间，他也感到幸福无比，他觉得女儿就是那个好运的灰姑娘，而自己就是驾驶金马车的车夫。

未来跨国公司的大老板

○帅　兵

我住井湾子中建规苑，小区门口有家理发店，平时没多留意。有天去理发，抬头看了眼招牌，愣住了：帝发妮国际美发连锁机构——旗舰店。

在记忆中搜索了一下，好像没这样一个机构。一下子兴奋了，嘿，见识见识小区旁的“国际美发机构”吧，不管多贵，体验一把再说。

里面一小伙儿，正认真扫地，见我进来，马上迎客：“您好！理发?”我问：“多少钱?”答：“10 元。”

看来“国际美发机构”价格也不贵！

理了一会儿，忍不住好奇：“你是这家店的老板?”答：“是。”我不好再问，但心里展开联想：只有一个人，那这个店的伙计也是他了。好大的志向！这个时代什么都有可能的，说不定以后他真的梦想成真了呢！

之所以这么说，是因为去年底，到重庆出差时看到的事情。

当时，朋友带我去吃重庆特色小吃——老麻抄手。抄手就是长沙的馄饨。一路上朋友极力宣扬这家店子多有名，味道多独特，使我胃口大开。

在一条背街小巷，我们找到了那家传说中的老麻抄手店。一见之下，我大失所望：巴掌大的店面，三张小桌，一位六十来岁的老妇人站在灶台前，无所事事，见我们进来，有几分高兴，问：“是吃老麻，中麻，还是小麻?”

我问：“老麻怎样？中麻怎样？小麻又怎样?”

老妇人说："吃了老麻，光着身子睡，不用盖被子；吃了中麻，穿件单衣就可以了；吃了小麻，穿件夹衣就可。"

外面寒风阵阵，她说得神乎其神。本来要点个老麻，见识一下威力。朋友劝我："最好点个小麻，如果受得了，再点老麻不迟。"

几只抄手下肚，已是满头大汗，嘴里麻木不仁。连说："厉害厉害!"丢下大半碗抄手，举手投降。

老妇人得意地说："我这是独此一味。"

看看萧条的小店，我问："你这里好像没什么生意啊?"

老妇人说："这是我的旗舰店和培训学校。"

我们几个长沙哥问："什么意思?"

老妇人说："我已经开了六家连锁店了。"

回去的路上，我们一直在想象那六家连锁店的样子。

宾馆旁边也有一家餐馆，面积不大，但整洁，装饰得有点奢华。两张大桌子，四张小桌子，全部坐满也不过三十来个客人，但每张桌子都铺上了很漂亮的桌布。小小的大堂里穿行着三位服务员——同样规模的店子里，一两个服务员就够了。服务员穿着设计独特、做工考究的服装。我和朋友讨论后得出的结论是：这个店主一定是个讲品位的人，而且是一个完美主义者，他开店的目的不是赚钱，而是追求某种美好的东西。

店主的身份果然奇特，是位空姐。第二天有幸见面，她朱唇轻启，告诉我们："这是我的旗舰店，我们正准备发展连锁店。"

回到长沙后，我常常想，什么时候开连锁店的长沙人也多起来，那我们这个城市将多么富有生气!

自从到小区门口的"帝发妮"理过第一次发后，以后我每次理发，都去他那里。支持是一个原因，还有另一个原因是：给我服务的，可能就是未来国际大企业的老板啊。

“香蕉”枪法

○紫妩晴

听说宋排长有请，我心里立刻忐忑不安起来。根据我的经验，他找我有好事的几率大概是0．001%。我搜肠刮肚地想了半天，最近虽然没有做什么像雷锋前辈那样的好事，但是也没有干对不起人民对不起部队的坏事，排长找我会有什么事呢？

我一进排长的办公室，他就十分客气地让我坐下，然后笑呵呵地说：“听说你最近特别喜欢音乐，尤其是喜欢架子鼓，经常勤奋地练习，不错嘛！”

我一听，如坠雾中：宋排长的话太高深了，我怎么一句也听不懂呢？

“排长，什么架子鼓啊？”别说架子鼓了，就是拨浪鼓，除了文艺兵的地盘，我就是把军营挖地三尺，也不可能找到啊！

“架子鼓就是打击乐的一种嘛！你最近不是经常拍着桌子训士兵小苏吗？除了想练架子鼓，我想不出你还有别的什么目的啊！”

看着排长那意味深长的眼神，我差点吓哭。原来拐了半天弯，就是为了这件事。我就像找到了可以申冤的包青天，立刻开始讲述小苏同志的“伟大事迹”。

这小苏人聪明，而且还爱动脑筋研究一些稀奇古怪的东西。最近我们班进行射击训练，我发现他在自由练习的时候，总是让自己的手不断地抖动。

难道小苏手有毛病了？我赶紧把他叫到办公室详细询问。

“小苏，你的手哆嗦什么？难道是帕金森综合征？不过这病通常是老人们的专利，难道你提前步入老年时代了？”

谁知小苏却对我这个班长的“亲切关怀”不屑一顾，他说：“班长，你听说过‘香蕉球’吗？”

哪个男人不爱足球？这个问题当然难不倒我，“香蕉球”就是能拐出弧线的球，这种球能拐着弯射入球门。不过这和打枪有啥关系呢？

“我在练‘香蕉枪法’。你看，这手一抖，让子弹在运动时发生旋转，然后两边的空气压力发生变化，这子弹就会拐弯，然后……”

这话一说，气得我拍着桌子开始训他：“乱弹琴！你听谁说打枪可以当成足球一样玩？抖动手腕射击只有一个结果，那就是让子弹打偏！”接下来，我滔滔不绝地开始给小苏批讲，看他听得一脸痛苦的表情，八成是把我当成《大话西游》里那个现实版的唐僧了。

就这样，小苏在挨了一通训之后，灰溜溜地走了。事后，班里的兵们都说班长的架子鼓一定打得不错，瞧这桌子拍得节奏紧凑，用力均匀，声音悦耳，让他们在办公室外面偷听的时候都有一种想跳舞的欲望。瞧，这话都传到排长耳朵里了。

听完我的控诉，排长气得一通拍桌子：“想创新是好事，但是胡闹怎么行呢？这子弹要是乱打，出了事情怎么办？你把他叫来，我要亲自教育教育他。”

我吃惊地看着排长拍桌子的手，他立刻意识到不妥，尴尬地解释：“我当兵前做过架子鼓手。”

一个小时之后，小苏被训得灰溜溜地来见我了。我以为他肯定对“香蕉枪法”彻底死心了。谁知几天后，他兴奋地找到我汇报：“班长，我终于研究出可以让子弹射击时拐弯的办法了！”

“真的？”我也很兴奋。

小苏自信地回答：“就是用霰弹枪！”

自由真好

○张国庆

朋友大马长得很有个性，黑脸方口，虎背熊腰，满脸胡须。几年前，一个偶然的机会，他被朋友介绍到某个剧组扮演黑道老大的打手。

从此，大马开始混迹于影视圈，虽然都是一些挨打或是揍人的角色，但是乐此不疲，常年周游于全国各个影视基地。

去年深秋，大马从山东青岛外景地排戏归来，我与几个朋友邀他小酌。几杯酒下肚，大马的脸色开始红润起来，接着，他给我们讲述了这样一段经历——

那天，他们在青岛海边拍摄一部警匪连续剧。与往常一样，大马饰演一位黑道上的打手，但他这次没有被警察“击毙”，而是与特警搏斗一番后被制伏，然后戴着手铐上了警车。

对这样的戏，大马是比较有自信的，几个场景下来，基本还算顺利。眼瞅着戏快拍完了。天上突然下起瓢泼大雨，没办法，剧组只好暂时停下来，回宾馆休息。

外面雨下得很大，馋嘴的大马突然想吃涮羊肉，便邀请身边的灯光师和另一位剧务冒雨走进路边一家小店涮羊肉。

三个人开始一边吃一边喝，眨眼间，两瓶白酒就喝光了。灯光师说抽口烟，歇会儿再喝。剧务不抽烟，闲着无事，突然从口袋里摸出副亮晶晶的手铐。

手铐是排戏用的道具，剧务说是找当地派出所借来的。大马顺手拿过来摆弄着说："现在警察铐贼的速度太慢，应该在眨眼间把对手的手锁住。"

说完，他借着酒劲开始做示范，他麻利地先把自己的手铐上，然后突然拉过灯光师的左手，使劲一磕，对方的手腕便被紧紧锁住。

灯光师赞叹说，这招儿很厉害啊！这时，剧务惊呼："厉害个球啊，手铐钥匙我可没带在身上。"

大马愣了一下说，没事的，快给民警打电话联系一下，取钥匙来。剧务说，人家说好了晚上来取，我可不知道人家的电话。

这下可糟透了，三个人围着桌子想了半天也没想出什么办法来。最惨的还是大马和灯光师，俩人各执筷子的模样成了"独臂侠客"。

这时，副导演给剧务打来电话，说外面雨过天晴，要他们赶快回来准备道具，继续拍下面的几场戏。

没办法，几十口子人还眼巴巴地等着他们开戏呢。为了不让外人笑话，大马和灯光师只好用衣服包住手铐，牵着手朝外走。

临出门结账时，眼神很鬼的吧台两个女服务员低声嘟囔着："这小个儿警察真厉害，一人抓了俩。"

三个人走在街上，很快吸引来许多好奇的目光，此时的剧务成了人们眼中的便衣警察，铐在一起的俩人成了酗酒闹事者。

走进拍摄现场，三个人的形象让所有人几乎都笑弯了腰，导演上下打量了半天说："好，现在临时改戏，拍歹徒被带走的那场戏。"

那场戏很简单，警察押着他们上了警车，然后大马回头深情地望了望那座城市。那场戏，导演说，大马的感觉特别好。

戏很快拍完了，可铐在一起的"两个歹徒"却依然藕断丝连地坐在大轿子里，一直等到黄昏时分，一个真警察上车来，用钥匙分开了他们。

大马的故事，让我们都笑出了眼泪。大马却认真地说："你们不知道吧，摘下手铐的感觉，让我第一次知道自由真好！"

讲　究

〇孙春平

大学新生入学，302室住进八位女生。当晚，各位报了生日，便有了从大姐到八妹的排序，尽管都是同庚。

不久，大姐王玲的老爸来看女儿，搬进了一个水果箱，打开，便有十六个硕大红艳的苹果摆在了桌面上，每个足有半斤重，且个头极齐整。王玲抢着把苹果一字摆开，再让大家看，众姐妹更奇得闭不上眼了。原来每个苹果上还有一个字，合在一起是："八人团结紧紧的，试看天下能怎的！"之后便笑，一幢楼都能听到八姐妹的笑声。王玲得意地告诉大家，说家里承包了果园，入夏时她老爸就让果农选出十六个苹果，并在每个苹果的阳面贴上一个字或标点符号，秋阳照，霜露打，便有了这般效果。这是老爸早就备下的对女儿考上大学的祝贺。五妹张燕是辽宁铁岭来的，跟赵本山是老乡，故意学着那个笑星的语气对王玲老爸说，"哎哟妈呀王叔，您老可真讲究啊！"众人再大笑，"讲究"从此便成了302室的专用词语，整天挂在了八姐妹的嘴上。

第二个来"讲究"的是三姐吴霞的妈妈，带来了八件针织衫，穿在八姐妹身上都合体不说，而且八件八个颜色，八人一齐走出去，便有了"赤橙黄绿青蓝紫，谁持彩练当空舞"的效果。吴霞说，妈妈在针织厂当厂长，这点讲究，小菜一碟。

年底的时候，二姐李韵的家里来了"钦差"，是爸爸单位的秘书，坐着小轿车，送给大家的礼物是每人一个皮挎包。女孩子挎在肩上，可装化妆品，也可装书本文具，款式新颖却不张扬，做工选料都极精致，只是都是清一色的棕色。但细看，就发现了“讲究”也是非比寻常，原来每只挎包盖面上都压印了一朵花，或腊梅，或秋菊等，八花绽放，各不相同。李韵故作不屑，说一定又是年底开什么会了，哼，我爸就会假公济私。

每有家长来，并带来讲究的食品或礼物的时候，默不作声很少说话的是七妹赵小穗。别人喊着笑着接礼物，她则总是往后躲，直到最后才羞涩一笑，走上前去。所以，分到她手上的苹果，便只剩了两个标点符号，落到她肩上的挎包则印着扶桑花。有人说扶桑的老家在日本，又叫断头花，那个桑与伤同音，不吉利，便都躲着不拿它。每次，在姐妹们的笑语喧哗中，默声不语的赵小穗还总是很快将一杯沏好的热茶送到客人身边，并递上一个热毛巾。平日里，寝室里的热水几乎都是赵小穗打，扫地擦桌也是她干得多，大家对她的勤谨似乎已习以为常。大家还知她的家在山区乡下，穷，没手机，连电话都很少往家打，便没把她的那一份“讲究”挂在心上。

半学期很快过去，放寒假了，众姐妹兴高采烈再聚一起的时候，已有了春天的气息。那一晚，赵小穗打开旅行袋，在每人床头放了一小塑料袋葵花子仁儿，说：“大家尝尝我们家乡的东西，瓜子儿不饱是片心吧，是我妈我爸自已种的，没用一点农药和化肥，百分之百的绿色食品。”

葵花子儿平常，可赵小穗送给大家的就不平常了，是剥了皮的仁儿，一颗颗那么饱满，那么均匀，熟得正是火候而又没一颗裂碎，满屋里立时溢满别样的焦香。

李韵拈起一颗在眼前看，说：“葵花子儿嘛，要的就是嗑的过程中的那份情趣，怎么还剥了？是机器剥的吧？”

赵小穗说：“我爸说，大家功课都挺忙，嗑完还要打扫瓜子儿皮，就一颗颗替大家剥了。不过请放心，每次剥之前，我爸都仔细洗过手，比闹非典时的洗手过程都规范严格呢。”

王玲先发出了惊叹：“我天，每人一袋，足有一斤多，八个人就是十来斤，这可都是仁儿呀，那得剥多少？你爸不干别的活儿啦？”

赵小穗的目光暗下来，低声说：“前年，为采石场排哑炮时，我爸被炸伤了，他出不了屋子了，地里的活都是我妈干……”

吴霞问：“大叔伤在哪儿？”

赵小穗说：“两条腿都被炸没了，胳膊……也只剩了一条。”

寝室里一下静下来，姐妹们眼里都噙了泪花。一条胳膊一只手的人啊，蜷在炕上，而且那不是剥，而是捏，一颗，一颗，又一颗……

张燕再没了笑星般的幽默，她哑着嗓子说：“小穗，你不应该让大叔……这么讲究了。”

赵小穗喃喃地说：“我给家里写信，讲了咱们寝室的故事。我爸说，别人家的姑娘是爸妈的心肝儿，我家的闺女也是爹娘的宝贝……”

那一夜，爱说爱笑的姐妹们都不再说话，寝室里静静的，久久弥漫着葵花子儿的焦香。直到夜很深的时候，王玲才在黑暗中说：“我是大姐，提个建议，往后，都别让父母再为咱们讲究了，行吗？”

飞行记

○路 也

我妈一直拒绝坐飞机。她的理论是，天上是不安全的，水上也是不安全的，人生来就是陆地动物，只有脚踩大地才踏实。我一坐飞机，她就紧张；不管地球哪个角落掉一架飞机，她都能在第一时间知道，并能准确说出飞机所属国家和航空公司、坠机发生的具体时间和地点、飞机型号和机上人数。只要提出陪她乘飞机旅游，她就背诵这些资料来吓我，并质问“你安的什么心”。黄昏在家门口散步，看见飞机从小区上空飞过，她的目光充满同情：“天都这么黑了，还待在天上。”

从今春开始，我就酝酿着怎样把我妈“劫持”上飞机。我偷着抄下了她的身份证号码，某天，我在电话里向她发通知：“你说过想看世博会，我已买了往返上海的机票，明天一大早的航班，机票花了三千多，不能退。”我妈在电话里呆住了，先是沉默，接着有气无力地答应：“只好去坐吧，豁出去了。”

在机场，我提醒她如果紧张，就吃速效救心丸。不料，她竟反过来嘱咐我登机后不要通过言谈流露出她是第一次坐飞机，免得让旁人笑话。

站在机舱入口的女乘务长笑脸相迎，胸前小牌上写着一个男性化的名字。机型是波音737—800，座位是23A和23B。入座后我妈很老练地系上安全带，压低声音轻描淡写地说：“跟坐动车一样。”

飞机起飞后，她把头扭向窗外看云。乘务员来送饮料时，她不太感兴趣，我劝她喝杯茶——反正飞机上有厕所，并可趁机参观一下厕所。我妈从鼻子里轻轻哼了一声："我不去。"同时轻蔑地斜睨着我，使我感觉自己才像个第一次坐飞机的乡巴佬。座椅靠背上是玉米油和润肺梨糖膏的广告，我妈不肯跟我聊天，我只好盯着它们傻看了一路，甚至把联系业务的电话号码都背过了。飞机快降落时，才想起翻看免费的英文版《中国日报》，看见上面登了持枪杀人案，讲给我妈听。她不屑地瞥了一眼报纸，嘟囔了一句："不就是英文吗？"使我又一次感觉我自己才像个第一次坐飞机的土包子。

下了飞机，我妈对飞机作了一个冷静的评价："这么大个家伙，嗡嗡嗡地吵了一路，弄得我耳朵里到现在都还嗡嗡嗡的，我不认为它有什么好。"

两天后打道回府。飞机是黄昏起飞，跟来时是同一家航空公司，同一机型，连航班号的数字都相仿。一登机，我就乐了——站在门口的女乘务长胸前有一个小牌，姓名还是来时那个姓名。更有趣的是，登机牌上座位号码仍是23A和23B，座椅靠背上还是玉米油和润肺梨糖膏的广告。毫无疑问，我们是坐同一架飞机相同的座位往返飞行的。

入座后，我兴奋地把这个发现告诉我妈，她没吭声。过了一会儿，她平静地说："不是同一架飞机。"她指出坐椅靠背花纹来时是浅灰，现在是淡棕。接下来，她又指着小桌板上的小旋钮，告诉我来时这个小旋钮是月牙形的，现在却是蝴蝶结形。这个细微证据让我惊讶。等前方小屏幕放下来，我妈又指出，来时屏幕和现在屏幕跟我们眼睛的距离也不一样，那个离得很近，这个离得稍远。这个证据过硬，我也有印象的。我妈看上去漫不经心，可她那已有轻微白内障的双眼比我的四只眼睛都厉害。最后结论是，飞机换了，机组人员没换。

飞机一小时后刚一降落，我妈就说："飞行员换了。"理由是，去时降落的时候，飞机忽然大幅度下降，又忽然大幅度升高，再忽然升高、下降，那个飞行员是个急性子；而回来降落的时候，飞机是一点一点地试探着平稳地降下来的，这个飞行员是个慢性子。

我被我妈有理有据的分析吓倒了。我敢说，若生在过去年代，凭她的素质，完全可以做一名出色的间谍。

新新新人类

〇凌可新

在我们登城，米黄和朱兰是一对十分要好的朋友。比亲姐妹还亲。一没事儿她们就在城里乱逛。“新新新人类”，这是报纸上为像米黄朱兰这一茬人取的名儿。具体是什么意思她们也弄不明白。不过都喜欢。新新新人类比新新人类还多了一个新，酷！

好几年前，她们曾经读过两本上海“新新人类”写的书，据说都是写作者自己的。“妈妈的看看人家过的日子！看看人家那新新人类！”两个人都带了几分羡慕，觉得大上海就是大，小城就是小，不免有几分失落生出来。

当然人家那生活也不是那么容易学的。真学，首先得拿自己不当人。

拿自己不当人？她们可只是十八九二十不到的女孩子呀！

算了，不说这个了，逛吧！

这几天她们瞎逛时，经常看见一个男孩子不远不近地尾随在后面。这男孩子跟她们的年龄差不多，长得嘛，米黄看过两眼，还可以。朱兰也看过，说还行，有点儿男人血统。只是不知道是碰巧了呢，还是有意识地跟踪她俩。

“他是爱上了你吧？”朱兰说，“你看他的眼睛，老那么盯着你看。”

米黄回了头，却没有看出来他是盯了谁看。两个人肩并了肩走，谁知道他是在看谁呢？总不至于同时对两个女孩子想入非非吧？

“不管他爱上了谁，至少他是个腼腆胆怯的人。换上个真正的男子汉，还不早就三步两步赶上来，在咱们面前一横，牛皮哄哄地把眼一瞪，说，妞儿，跟老子走一趟吧！”米黄说。

朱兰听了乐不可支。

“可不是么。”

“想办法捉弄他一下，怎么样？”

米黄突然有了兴趣，朱兰也不反对。

“你去勾引勾引他，看看他有什么不俗的表现。”

“去就去，光天化日之下，也不怕他敢怎么了我。”

朱兰真的就掉过头，迎着那男孩子走过去了。她来到男孩子面前，说过几句话又走回来，脸上怒气冲冲的。

“这么快呀！”

“还能不快？”

“你问他叫什么了吗？”

“他说他叫李亦东，高中刚毕业，家住画河西路多少多少号。妈的不过他看上的是你。米黄你过去吧。也许你们会制造出一段美丽非凡的惊世爱情来呢！”

米黄想，去就去，反正闲着也是闲着，就返了身往回走。看见那男孩子呆呆地站在那里，一副傻相，米黄忽然觉得特别的没意思。

可是不说几句话就回来，没准儿朱兰会笑话她胆小，是伪装的“新新新人类”呢！

那男孩子看见米黄，眼里慢慢亮出了一片光芒。

米黄笑嘻嘻走过去，说道：“李亦东，你是新新新人类吧？”

男孩子迷糊了：“新新新人类？什么是新新新人类？”

米黄哧地一笑：“那你是登城一著名男流氓吧？”

男孩子还是一脸迷糊着：“著名男流氓？什么是著名男流氓？上床？

哪儿有床？我是一见那个……一见……”

“你是说一见钟情吧?”

忽然米黄变了脸，她伸手指住男孩子的鼻子大声说：“你去死吧!”

“去死吧。”是米黄和朱兰之间常用的词儿。她们把这个词儿赋予了新的含义。说声“去死吧”，其实是表达着一种信息。她想试试他到底有多深多浅。

但男孩子的脸一下子变了颜色，眼里的明亮也火一样熄灭掉了。米黄哼了声大步走回来：“他什么也不懂，一个傻瓜，还妄谈什么一见钟情。走，咱走咱的!”

她们走，男孩子没跟上来。

以后他也没再跟在后面。她们也就顺势把他给忘掉了。

一个星期后，米黄和朱兰逛到黄昏，分了手往家里去。途中买了一份当地的晚报，一条消息吸引了她。那消息说，登城少年某某某，因失恋而自杀身亡。据他生前透露，他是爱上了一个身穿米黄色衣服的女孩子。可那女孩子却指着他的鼻子大声说：“你去死吧!”他承受不住这个打击，方才自杀的。

米黄一下子想起了那个名叫李亦东的男孩子。“妈的!”她生气地把报纸撕成碎片，一撒撒了一地，“又是一个假新闻。一个人，哪有那么容易自杀的?”

她低头看看自己身上的衣服。它不是米黄色的，而是黑色的。“我又没穿米黄色衣服。就算那新闻不是假的，那女孩子也不是我。管他呢!”

至于她和李亦东说话那天穿的是什么颜色的衣服，她早就忘记了。“谁去老想着这个呀。没劲!”本来她还打算以后问问朱兰那天她穿的是什么颜色的衣服，等再见到朱兰，她只说了一声“没劲”!

真的是没劲!

军歌嘹亮

〇周 波

天蒙蒙亮时，他听到了嘹亮的军号声。是起床号。

他腾地一下从床上跳将下来，顾不及穿鞋，赤着脚跑出门外。

不一会儿，他看见一个穿解放军制服的人正朝着他飞奔而来。

赵小军！他大叫起来。

我要走了。赵小军气喘吁吁地跑到他跟前说。

什么时候回来？他问。

不知道，应该快了吧。赵小军说。

等你回来时，我也报名参加解放军去。他笑着说。

好呀！这东西你帮我先看着。赵小军从口袋里掏出一方包叠着的布，灰不溜秋的，是土布。

什么？他好奇地问。

开国大典邮票，前几天托人搞到的，还缺三枚。赵小军微微一笑。

邮票？啥东西？搞丢了咋办？他晃动着手左右躲避。

来不及了。赵小军抓住他的手，一塞，转身就跑。

他眼见着赵小军的身影迅速离去，远远地融入一片解放军的群体里，像一滴水融入了河流之中。

他跑过去，他想抱一下赵小军，还想告诉他，等他回来一起再去后山坡捉麻雀。可他一路瞅着找，仿佛都是赵小军，却找不见。

他握着赵小军塞手里的布包，不知所措。

邮票？这是啥玩意呢？他想。

赵小军走后，他再没听见嘹亮的军号声。他已习惯了被军号声吹醒。

天蒙蒙亮时，他瞪着铜铃大的眼睛睡不着。赵小军现在在干啥呢？现在是不是冲上敌人阵地了呢？是不是戴着大红花接受首长的检阅呢？赵小军的枪法一定很准，每次在后山坡，他打下来的麻雀最多。想着赵小军时，他就会摸摸压在枕头底下的那块小布包，里面有一张好看的图片呢。

他从未在别人面前提起过邮票的事。有几次，他去找赵小军的爹，也只是问赵小军回来了没有。赵小军的爹摇着头总是说：也不知这娃仗打到哪去了，蒋介石已逃到台湾了，这娃难道还在追？

那天，天蒙蒙亮，他又一次听到了嘹亮的军号声。

赵小军！他叫起来。

他依然顾不及穿鞋，赤着脚跑出门外。他兴奋地打开门，门外正下着毛毛细雨。他发现，街两边的屋檐下，坐睡着一排又一排解放军战士，头没淋着雨，伸出的脚都湿了。那么宁静，静得能听见雨水滴落在街路石板上的声响。朦胧的灯光照得石板湿亮湿亮。

赵小军！他大声叫起来。

他一个个地问解放军战士有没有看见赵小军。对方要他说出部队的番号，可他只知道赵小军这个名字。对方说这就像大海捞针，没线索，怎么找呢？

他捧着布包，失望地徘徊在雨中。

赵小军一直没回来。几年过去了，赵小军的爹心急如焚，不停地问他有没有赵小军的消息。他说：在赵小军没回家前，我就是您的儿子。

那年，他终于知道了邮票是什么，还知道了这张开国大典邮票的价值。他有次对赵小军的爹说：这是赵小军部队开拔前留给他的。赵小军的爹老泪纵横地摸着布包，说：小军会回来的。

他每天都要看一眼那枚邮票，怎么也看不够。邮票和人两个形象始终交替重叠着。我要把另外三枚也收齐了，让赵小军好好开心一下。有一天，他突然冒出奇怪的念头。

小孩要邮票干吗？邮票已敲过邮戳不能再用了。邮递员问。

我喜欢邮票上的图画。他骗邮递员。

他开始不停地搜集各种各样的邮票，赵小军的那枚邮票不再孤单。他很开心这样去找“伙伴”，当年他和赵小军在后山坡捉麻雀时，也是彼此结队而去的。

赵小军的爹仍然每天唠叨着，娃儿咋就还没回家呢?

他说：快了吧，我在给他找伙伴玩呢。

赵小军的爹听得一愣一愣的。

赵小军究竟去哪里了呢？他也时常这样想着。

十年过去了，赵小军没有回来。

二十年过去了，赵小军也没回来。

四十年后，他终于找到了开国大典邮票的另外三枚，还集了两大箱其他邮票。可是，赵小军依然没有回来。

赵小军爹走的那天，他在老人的耳边轻声说：爹，我是赵小军，我回来了。

没有人知道他在集邮，更没有人知道他有一套珍贵的开国大典邮票。

去年“八一”建军节的邮展上，他第一次公开了自己的邮集。他把赵小军那枚“纪4.4-1”的开国大典邮票置放在首页“头条”。他还取了一个很好听的名字：“军歌嘹亮”。

他一夜之间成了这个城市著名的集邮家。据说，有人开出高价想购买那套邮票。

他说：此票无价。

有记者前去采访他：您是位奇人。

他说：我等一个人。

谁？记者问。

一个叫赵小军的解放军。他双鬓霜白，一脸动情地说。

躲　年

○刘　齐

春节前夕，我随国内一个旅游团去埃及。旅游团50多名成员，有骄傲之人、忧郁之人、天真之人、狡猾之人，俨然一个“小社会”了。“小社会”游走他乡，连听带看，满脑子新鲜事，自然有无穷话题，但经常谈起的却是故国春节，而且语多抱怨——

有什么呀？不就是吃喝拜年放鞭炮嘛。吃喝没劲，鱼啊肉啊，啤的白的，过不过年都一样。还不如恢复票证呢。中国人报喜不报忧的毛病都是拜年拜出来的。七大姑八大姨的孩子呼呼往上冲，分浮财似的。现在这伙新新人类智商忒高，你给他压岁钱他不道谢，先对着光看，看见暗藏的伟人头了，这才咕咚给你磕个头。应该给国家打报告，把春节取消算了，省得电视台那帮小子总挨骂：应酬太多，都是爷，得罪不起，价码越抬越高。拎个果匣子看老丈母娘的年代一去不复返了……

抱怨完了又庆幸，这回好了，总算躲出来了。眼不见，心不烦。过去杨白劳躲地主，现在我们躲春节。春节啊春节，拜拜了您哪，您再有能耐，还能追到埃及来？

埃及的确是躲年的好地方，金字塔光溜溜的，狮身人面像静悄悄的，一点“年气”看不出来。躲年的中国人无牵无挂，优哉游哉。有时一高兴，还踩着异邦鼓点跳舞，或者穿了阿拉伯袍子，跟当地老乡手挽手，照一张水乳交融、乐不思蜀的纪念像。

但是，随着年关的临近，好像有谁在远方遥控，全团男女老少的情绪逐渐起了变化。

年三十清晨，有人闷闷不乐，认为早餐难吃。

那天上午，参观萨拉丁古堡和阿里清真寺。在这两个天下闻名的历史圣地，中国人步履匆匆，显得有些焦躁，有些心不在焉。

参观完了，旅游大巴徐徐往回返。

开罗城里楼是楼，树是树，一切如往日般正常。忽然，车上有人大叫："停车！"大胡子司机一怔，赶紧刹车。

全体中国人蜂拥而下，三步并作两步，钻进一座建筑物。

街上熙来攘往的埃及人全愣了。黑衣巡警见状，迅速围拢过来。

建筑物是电信局，算是要害部门，但中国人没干别的，只是争先恐后掏腰包，买一张薄薄的电话卡。大厅里，一长排电话间随即爆满。手脚慢些的，又拥到门外。门外十多个电话亭，转眼工夫被中国人统统抢占。

埃及警民越发迷惑不解，这是怎么了？没听说世界上有什么大事啊？

谁说没有大事？你们这边才是中午，我们那边已经到了晚上，不是一般的晚上，是除夕夜！阖家团聚的时候。十几亿人一起吃年夜饭，不是世界大事是什么？

电话一个个接通，喂喂声四起，拜年，祝福，询问做了什么饭菜，放没放鞭炮，包没包饺子，煤气足不足，天冷不冷……她给我打电话没有？电视晚会快开始了吧？谁当主持人？外婆身体不好，不一定要全部看完。爹要少喝酒，多吃菜。囡囡别淘气，给你买好东西了。这边不行，连个春联都看不见……大家的话语噌噌往中国飞，没有一句是要紧话，也没有一句不是要紧话。

那一刻，焦躁之人安稳了，狡猾之人诚恳了，忧郁之人欢乐了，欢乐之人更欢乐了。全体躲年者喊叫着，喃喃着，一起向"年"迎上去。天特别蓝，太阳特别亮，老天爷——分工负责中国的那个老天爷，他老人家一定在往埃及这边看。

Armani 是一种生活方式

○红　酒

大刚在穿着方面只认意大利的品牌 Armani，说穿出随意和优雅才是自己一直寻求的风格，Armani 细腻的质感和简洁的线条跟自己骨子里的气质不谋而合，能在不经意间彰显出自己洒脱奔放的个性特征。

和大刚光屁股一起长大的朋友亮子就没这么多穷讲究——啥名牌？狗屁！大刚你是摆谱哇。说到底，也就是长得帅点，装束自然要跟上，否则很对不起自个儿不是？

大刚佩服的是设计师乔治·阿玛尼，据说这个意大利佛罗伦萨人的财富按美金计算有五十多个亿，可他在生活上克己节俭，对他人慷慨异常，多年来一直奔波在世界各国的穷苦人群中。大刚说这才是 Armani 服装的内在品质和独特魅力。大刚说的时候，眼睛会放射出一种光芒。

专门从事民居装修设计的大刚有自己的公司。大刚在设计中，常常有不同寻常的创意，不起眼的茅草、树枝、竹子、树皮甚至粗糙弯曲的木桩都能化腐朽为神奇，恰到好处地运用到他的设计方案和具体操作中。

如今城里人渴望回归自然，却无暇与大自然交流。大刚说他的设计作品面向的就是这个群体，即便是不能朝饮木兰之坠露，夕餐落英之缤纷，可保准不耽误你心向明月林间、清泉石上。

喜欢穿 Armani 名牌服装的大刚有个怪癖，每接一单，就把自己关在一处与世隔绝的地方，像个独行侠，一关就是十天半月，拿不出设计绝不返城。大刚这次要把自己丢在一个叫做画眉谷的地方。亮子开车送他来时，车一靠近画眉谷就无路可走了。亮子说这个鬼地方，当心狼叼了你。

画眉谷有二三十户人家，巴掌大小，村口有人打喷嚏，村尾梨树下闭目打盹儿的花狗能吓一跳。这些年，青壮男子都外出打工了，老弱病残女人孩童留守。大刚一踏进画眉谷，小村子突然就活泛了。

女人们的头发倏地光溜儿了，身上还有股香皂味儿。出来进去，香风四溢。村边有条河，女人们端一盆衣服，腋下夹根洗衣棒槌，张狂地从他借住的那家门前过，嗓门儿也放高了许多。

山里人家的粗茶淡饭总不合大刚口味，大刚压根儿也不会亏待自己，在谁家看中只芦花大公鸡，丢下五十块，说麻烦大嫂帮我做吧。捉只鸡跑十几里山路到镇上也卖不到二十块，大刚出手阔绰，气度不凡，女人就是倒贴也乐意，可这怎么会是倒贴呢？于是，女人就细心地杀，格外地尽心尽意。做好后，连锅一起给他端去。不走，倚在门边，看他美美地吃，脸红红的，眼波流转，盈盈含笑，比自己吃还高兴。

想吃狗肉就留二百块钱。妇道人家杀鸡可以，却不敢收拾狗，唤来村里的跛子老三帮忙，炖上一大锅。大刚就让房东大爷招呼半村人来吃肉喝酒，整个画眉谷过年似的热闹。

村里的孩子们在他房边怯生生地玩耍，大刚童心萌发像个孩子王，跟一群淌着鼻涕的顽皮小子们玩老鹰捉小鸡。累了，靠着高高的麦秸垛打盹儿。饿了，带到镇上，由着孩子们的性子，想吃什么任意点，他只管付账。那些天，隔三差五总见大刚老母鸡护鸡雏样带群孩子兴高采烈地走出画眉谷。

山里人不认名牌，更分不出一线二线男装品牌来。女人们做着针线活儿，嘴可不闲着，说大刚你算是有钱人了，穿得可不咋着。大刚笑笑，不说话。大刚要说出自己身上那件褐灰休闲装的价格，能吓人一跟头。

更多的时候，大刚静静地坐在村边的溪水旁，看青山悠悠溪水涟涟，一坐就是一天。

山村的夜晚格外静谧，月亮悄悄爬上了树梢，这个时候，大刚灵感突现，埋头做着他的设计。

设计进展顺利，次日就要回城了，大刚望着房东家西厢房前的那株香椿树，一阵不舍涌上心头。这里虽然贫瘠落后，可山里人家简单坦率，没那么多花花肠子。大刚想把这里当成自己的创作工作室，以后有项目，就远离尘嚣躲这儿设计好了。

亮子是在大刚设计完成的次日傍晚见到他的。在此之前通过话，大刚说了个碰面的地点，特意嘱咐亮子一定多带些钱。

亮子提前一刻钟来到大刚说的地点，末班车人都走光了也没见到大刚。正纳闷儿，忽见一蓬头垢面衣衫褴褛人迎面走来。定神细瞅，居然是大刚。行为艺术？你他妈也太夸张了吧大刚！亮子一声惊叫险些把狼招来。

也就是在大刚设计完成的那天深夜，几个蒙面人闯进来把大刚所有的钱财衣物洗劫一空，连袜子都没给他留下。

大刚死命拦住房东没让声张，只说找件衣服。房东大爷流着泪在墙角的白茬木箱内找出个花布包袱抱到大刚面前，打开来，是件破旧不堪的军大衣和一双前后有洞精心补过的胶鞋。

回来不久，大刚不顾亮子反对又去了画眉谷，拉了满满一卡车衣物，却把那破衣烂鞋留下了。大刚要做个纪念。

亮子还会时不时地跟大刚探讨有关服装的问题，说那 Armani 服装真看不出有多好。

大刚说顶级设计师乔治·阿玛尼的设计是对美的最佳阐释，淋漓尽致地表达了一种自我感受和自我情绪。说到底，Armani 代表的是一种生活方式。

大刚说出这样一番话的时候，亮子当胸捶了他一拳，说：这是哪本时装杂志上的话吧？

开门，关门

○赵　新

春天的时候，他从市里回到乡下的老家，打算在青山绿水鸟语花香的环境中住些日子。他在老家还有几间房子，一处小院，还有两扇油漆斑驳的大门。想当年他从这处小院里走出去，先上大学，后当科长，再当局长。现在退居二线了，还原成了普通的百姓，因此回到老家来，过一过他向往的田园生活。

既然回到自己的老家，既然成了普通的百姓，他就扔掉了那身官气，那身娇气，那身傲气，竭力做到和村里的兄弟们一样，朴实厚道，勤恳辛劳。他日出而作日落而息，清扫庭院，担水拾柴，买菜买米，自炊自食；他走亲访友，嘘寒问暖，握住乡亲们的手久久不放，说到动情处满眼是泪。

他想还是老家好啊，老家的人一就是一二就是二，无欺无诈，无虚无假，过这样的日子浑身舒坦，满心惬意！

那天早晨他从山上拾柴回来，推开大门进到院里后，就又情不自禁地一如既往地关严了那两扇大门。他之所以关严那两扇大门，缘于多年的生活习惯，他在市里上班，最要紧的是关严自己的门户，出去也关，回家也关，不把门关严锁好，就像犯了天大的错误，心里就很不踏实！

他把柴火放在院里，洗手洗脸，抽烟歇息。他很兴奋，他在回家的路上碰见了侄媳妇儿喜凤，一个说话直来直去泼辣开朗的中年女人。

喜凤招呼道：二叔，你还亲自拾柴火呀？你那么大的官，不怕掉架子？如果没的烧，你到我家抱柴火去！

他说：谢谢，谢谢。我拾柴火一举两得，又能做饭烧炕，又能锻炼身体！

喜凤说：二叔，你这次回来大家反映可不赖，说你没架子没官气，和我们种地的老百姓合得来说得来，不像……

他说：喜凤，我就是一个正儿八经的老百姓啊，我可不敢……

喜凤不高兴了。喜凤说：二叔，我刚夸奖你几句你就和我打官腔！你知道吗？越不是老百姓的人才越说自己是老百姓，真正的老百姓谁说这话？除非他是个疯子，是个傻子！

他一下子噎住了，张了张嘴不知道说什么好。

喜凤见他难堪，赶紧扭转了话题。喜凤说：二叔，我问你一句悄悄话，你一个人回来，不想我婶子？

他笑了，他说：我和你婶子老夫老妻了……没有她我倒清静，我倒安生！

他往回走，喜凤往自家的菜园地里走。刚刚走了几步，喜凤转过身来，又把他叫住了。喜凤喊道：二叔，你在家等着，我一会儿给你送菜去。我家的菠菜小葱绿得鲜亮，嫩得流水，棵棵都顶着露珠。我昨天还做了豆腐，那豆腐又白又细，又香又醇，一吃就是老家的味道，一会儿一块儿给你送去！

他最喜欢吃小葱拌豆腐。喜凤一席话，豆腐有了，小葱有了，再喝一袋鲜牛奶，早餐有了。

扔掉了手里的烟蒂，他开始打扫院子。院子打扫完了，喜凤没有把菜送来。

他又开始整理内务。屋子里收拾干净了，喜凤没有把菜送来。

看了看表，8点多了，乡亲们都该下地干活儿了。

他想，喜凤不会哄我吧？她虽然不是我的亲侄媳妇儿，可也没理由糊弄我！

他想，喜凤可能太忙，把送菜的事情忘了。

他吃早饭时天开始下雨。那雨不大不小，刷刷啦啦，缠缠绵绵。他原准备吃饭之后去看望村里的老党员赵老庆大伯，这位德高望重的85岁的老人身板还很硬朗，还能锄草、浇水、施肥，还能骑自行车。看着那飘飘洒洒没完没了的雨，他只好放弃原来的计划，坐在屋里读书看报，喝茶抽烟。他的大门一直紧紧地关着，他以为那很正常，很自然。

雨停时已是下午4点，他很快走到了村前的沙滩上，欣赏那被雨水洗刷过的梨花槐花、绿田青山。

他又碰见了喜凤。喜凤刚从地里回来，满脚是泥。

喜凤有些激动，开口便问：二叔，你今天跑到哪里去了？

他说：我一直在家啊——今天下雨。

喜凤说：那不可能！我早晨给你送菜，你的大门关着；我中午给你送菜，你的大门还关着……

他说：关着是关着，可是我就在屋里，真的是在屋里！

喜凤摇了摇头：哎呀，你人在屋里，还关什么大门？你有什么秘密？你有什么见不得人的事情？该不会是和哪个女人一起睡觉，怕乡亲们逮住，脸上不好看吧？二叔，老庆爷爷把腿摔断了，你知道吗？

他大吃一惊。他说：老庆大伯把腿摔断了？怎么摔的？昨天我还看见他在地里干活儿……当年他打日本鬼子也没受伤啊！

喜凤说：老庆爷爷见今天下雨，就想到你家里歇一会儿。第一次去你关着门，第二次去你关着门，第三次再去在雨地里跌了跟头……

他急急忙忙跑到老庆大伯家里时，老人正在炕上躺着，右腿缠满了绷带，脸上的表情非常痛苦。老人拉住他的手说：孩子，你今天不在家吗？既然在，还关着大门干吗？你是嫌我们浑身是土，怕我们打扰你吧？

他掉下两行泪水说：大伯，不是，真的不是啊！

老人把眼合住了。大概是疼痛难忍，两条眉毛紧紧地皱在一起。伤筋动骨一百天。老庆大伯该怎样打发今后的日子？

他心情沉重地回到家里时，他的两扇大门被人打开了，院子里铺满了鲜红的落霞，颇显亮堂和温暖。他走进屋里，看见桌子上放着一捆菠菜，一把小葱，一盆又白又嫩的豆腐，还有几枝鲜嫩的、刚刚采下来的香椿芽儿。

他知道喜凤来过了，喜凤给他打开了大门。

短信故事

○刁　斗

我要讲的，不是人们在移动电话上互传那些可笑或不可笑的政治段子黄段子的事。

去年年底我搬进新书房，原来的座机电话随旧书房一道不属于我了，朋友给我个小灵通电话。作为移动电话，小灵通的方便不言而喻，但比之座机电话，它接收的垃圾短信常骚扰我，不看吧怕误事，看呢又往往哭笑不得，让你心中的某种期待备受捉弄。我不知道这种手机上的交通规则该归谁管，电信部门除了通过各种霸王条款收取费用，是不是也有担当警察的责任义务？

当然没法子的事我不会多想，我需要的是调整自己与垃圾短信的关系。大部分短信都不好玩，或通过低俗无趣生硬呆板的言辞邀你拨打某个电话，或告诉你什么贱卖了谁来演出了，或说点奥运会的事沙尘暴的事。这些我只一看了之。可对有些短信，我却渴望与之呼应，在呼应中，让那短信的性质发生变化，把它变成我开心的由头，以给我乏味的日常生活添点乐子。比如有短信说："我是一个美丽女孩，可没人陪我逛街，好烦哦。"我就回："逛街与如厕一样，最好独自进行，有他人陪同会干扰你的流连与选择。"或者，"自我评价过高是人类的通病，请以后自称美丽时一定慎重。"再比如有短信称："……手机号码抽奖活动中你获得二等奖八点八万元请……"我就回："白痴，创意必须与时俱进，你这种把戏早过时了!”或者:“你可否代我付税?八万归你,寄我八千就行。”还或者:“我有新骗术,专利费不高,如需要请来人携款面谈。”像这后一条短信发出之后,我还会放下手头工作,像人大代表政协委员提议案那样,开动脑筋发明新法。我觉得,人家要是真有诚意来我这儿取经,我不应该玩“阳谋”忽悠人家。

不过给我发垃圾短信的人都太功利了,没空与我交流沟通,让我的乐趣日渐索然。直到有一天——

很长时间里,每周我都能收到四五条标有“本市消防局提示”字样的短信:“商场购物四处瞅,注意安全出入口”;“清除火灾隐患,犄角旮旯多看”;“烟头莫乱扔,心头敲警钟”……最初我很讨厌这些拙劣的打油诗顺口溜干扰我生活,可时间稍长,我意识到,这个编短信的人有点像我:只有对语言对修辞有浓厚兴趣的人,才会字斟句酌地把文件上的枯燥告示处理成这个样子呀,而且那种持之以恒的发布热情,只能源于强烈的发表欲。我断定这短信作者是个读过《红旗歌谣》的主旋律诗人。我这人有点好为人师,对喜欢舞文弄墨的人也有好感,兴之所至,便把经常性地回复那些“消防短信”当成了课业:好的表扬,指出好在哪里;不好的批评,指出字词上韵脚上逻辑关系上的具体问题。这样,差不多两个月后,我的互动努力感动了上帝,某日,我终于接到了来自那个特殊电话号码的、但全市肯定只有我一人能收到的“消防短信”:

“请你注意,干扰公务是要负法律责任的!”

打猎

○阿　成

在达斡尔族护猎员桑的带领下（只有桑这样的少数民族可以打猎，当然是打那些允许打的猎物，比如野兔。打国家保护动物是违法的），我们开着一辆伤痕累累的吉普车（反而有一种野战的风度），进入了一望无际的大甸子。开始，我们以为护猎是到森林里去，隐蔽在树林里的某处等待偷猎者的出现。其实不是，是在大荒甸子上寻找偷猎者。

正是收获的季节，金色的玉米地像莫奈笔下的油画，像梵·高笔下的秋天，十分的迷人，很辽远，很开阔。开着像战车似的大吉普车疾驰在七沟八梁的大荒原上，那种感觉非常的不寻常，非常的男人，当然，车也非常的颠。可以这样说，要是让我们在陆地上做出那种剧烈的被颠的动作，肯定是做不出来的。

几个人抱着枪坐在被桑开得飞快的吉普车里，很快就有一种美国大兵的感觉。吉普车前面的玉米秆已高过吉普车的机器盖子了，两边的玉米秆刮着机器盖子发出“哗啦哗啦”的声音。在大坡地上横穿的时候，感觉吉普车要翻过去了。开始的时候，那个窄脸的诗人忘情地抱着猎枪不由自主地进入了角色，摆出一副美国大兵的样子，还很得意的。但是，没想到车子会这样颠，终于，那位窄脸的诗人有点害怕了，干哑着嗓子跟桑说，桑，停下车吧，把枪放到后备箱里去好不好？

很显然，车这么颠，他担心猎枪万一走火，砰一声，直接就自毁了

（诗人是喜欢想象的，估计连自己倒在血泊里的情景都“看”到了）。

其实，上了车，桑就跟两个抢着抱枪的诗人说，枪管不要冲着自己，也不要冲着别人，小心走火。

桑是这儿的护猎员，他的任务，主要是阻止偷猎野鸡之类的飞禽。桑说，野鸡一般下午三四点钟才出来觅食，在太阳将落未落时候它们才会出来，这时候它们都跑到玉米地里找粮食吃去了。偷猎的人一般都选在这个时候打野鸡和沙半鸡。

我们听了都直点头，反正我们什么也不知道。

桑说，野鸡和沙半鸡非常傻，比如你打其中的一只，枪响之后，另外几只也不会跑。我说，不对啊，桑，不是有个脑筋急转弯儿嘛，树上十只鸟，打掉一只还剩几只？桑说，要是麻雀，树上就一只也没有了。但沙半鸡，打掉一只，肯定还剩九只。那个胖脸的诗人说，这一点有点像诗人。

我们在这个大甸子上跑了两个多小时，什么也没发现，无论是偷猎者还是允许打的野兔，都没看到。

桑看到我们有些失望的样子，便说，好，咱们开枪打打麻雀吧，过过枪瘾。胖脸的诗人说，行，不管咋说，我们一人扛一只麻雀出去也挺好的，像英国漫画一样。

正打算停车的时候，远处突然传来了枪声，桑立刻开车朝着枪响的方向疯跑。车都快颠翻了，我们一个劲儿地劝他慢点开，可怎么劝也劝不住。此时此刻，我们已经颠得满脸憔悴，一脸苦难，这才知道当个护猎员的辛苦。由此还联想到越战中当兵的也不容易，想到两伊战争中士兵们在沙漠上跑也很辛苦，想到那些在荒郊野外的探险者、摄影家，真的都太他妈的艰苦了。

找了半天也没找到偷猎者，最后，桑只好放弃。

就在我们准备打道回府的时候，桑突然发现，在前面的玉米地里有六七只沙半鸡正在觅食。桑立刻把车停下来，拿起了猎枪说，我给你们试验一下。说着冲天上开了一枪。那几只沙半鸡像什么也没听见似的，仍旧在那里觅食。我们都看傻眼了。桑换上子弹，从容不迫又朝天上开了第二枪，几只沙半鸡依然岿然不动，照例在那里觅食。那个胖脸的诗人像祈祷着的阿拉伯人似的举起了双手说，主啊，赐给沙半鸡以麻雀般的智慧吧！

…………

在回去的途中，要经过一片湿地，此时夕阳烧得正旺，红彤彤地挂在西天，景色非常瑰丽。这时，我们发现了在远处的芦苇荡里悠然自得地游着的三只野鸭子，一只大鸭子后面跟着两只小鸭子在款款地游。桑说，这是王八鸭。他的话音刚落，就听叭的一声枪响，那只大鸭子立刻被打死在水里了。桑立刻停下了车，下来向四处看了看，四处一点动静也没有。桑充满仇恨地说，这是有人在跟我玩呢。

那个窄脸的诗人叹了口气说，你们看，那两只小鸭子在母鸭子旁边游呢。唉，母亲鸭死了，看来，这两只小鸭子是飞不到南方去了，冬天就得冻死在这里啦……

这时候，桑打开吉普车的后备箱，从里面取出“水衩子”穿上，独自一人绕了很远的路才上到了那片沼泽的“硬地”上——公路与湿地之间还隔着一条时宽时窄的野水。我们远远地看到，桑每一脚下去都有一米深的稀泥。毫无疑问，这是非常危险的，甚至有生命危险。

半个小时以后，桑从芦苇荡里把那两只小鸭子抱了回来。

桑长得很帅，一脸的络腮胡子，是一个充满柔情的、硬朗朗的达斡尔族汉子。

布袋子

〇王奎山

说一说李姗的事。

李姗是我的同事。本来已经退休，可以在家里优哉游哉地过日子，但最近发生的一件事，却让她陷进一场极大的苦恼之中。

一切都源于那天的一个电视节目。那天上午没事，李姗一个人在家里看电视。

电视说的是英国一个小镇上发生的事：一个女人为了呼吁小镇公民的环保意识，做了大量的布袋子送人，让人们买菜的时候用，以代替塑料袋。小镇上的居民被她的行为所感动，纷纷使用布袋子。他们的口号是：让塑料袋退出我们的生活。

李姗看完电视之后一个人坐在那里发呆，然后李姗锁上门走到街上，在商店里买了一大卷绿色的棉布，回家就做起了布袋子。李姗的家里有一台蜜蜂牌的缝纫机。三十多年前，这可是李姗家里的一件宝贝，是令李姗在女伴中间引以为荣的大件。如今，正好可以拿出来像李姗本人一样发挥余热了。

100 个布袋子很快就做好了。那天早晨，当李姗拿着一百个布袋子在大华市场门口向买菜的人们散发的时候，李姗的心里甚至隐隐地升起了一种自豪感——一个人，当她的行为是在为整个社会道德水平的提升而添砖加瓦的时候，心里涌起这种自豪感是一件自然而然的事。请不要错误地认为我的同事李姗是一个追名逐利的人，她绝对是一个安分守己、不事张扬的女人。她选择远离自家社区的大华市场门口作为她散发布袋子的地点，就充分地说明了这一点。

李姗向买菜的人散发布袋子的时候，也像那位英国妇女一样，呼吁人们使用布袋子，远离塑料袋，为绿色环保作贡献。末了，李姗还即兴地加上一句："为2008奥运会作贡献!"接受赠品的人们无不点头、微笑，赞同李姗的主张。

其后的几天里，每天清早起来，李姗都要到大华市场门口去，她想看看自己的行为所造成的结果，她想看看有多少人使用了她做的布袋子。奇怪的是，她没有见到一个人使用她做的布袋子。这让李姗多少有点儿失望。但很快，她就从失望情绪中走出来了。买菜的人那么多，哪天清早恐怕都有几千人哩。那么多的人里，一百个布袋子算个啥呀，简直可以说是沧海一粟。看来做的布袋子还是太少了。于是，李姗就又做了一百个布袋子拿到大华市场门口去散发。还是那些话，远离塑料袋，为绿色环保作贡献，为2008奥运会作贡献。接受李姗赠品的人们照例是点头、微笑，赞同李姗的主张。

…………

当李姗第五次在大华市场门前散发布袋子的时候，出了一点儿事。在那之前的一天，刚刚下了一场雪，地上到处都是积雪。可能因为李姗已经是第五次在同一个地点散发布袋子，不少的人已经认出了她（当然她不认识他们）。当李姗一出现在那里的时候，人们马上把她团团包围起来，并且纷纷伸出手来向她索要布袋子。由于想要布袋子的人太多，局面就有些失控。这时，一个高个子的男人一把从李姗的怀里抢过所有的布袋子，说，我来替你发吧。人们听他这样子说，又把注意力转向了他。就在这时，汹涌的人流一下子把李姗挤倒在地上，但是，并没有人发现李姗已经被挤倒在地上，大家纷纷踩踏着李姗的身体，扑向那个高个子的男人。

等人流散去，当李姗自己从雪地上爬起来的时候，她的身上已经被人们的鞋底印上了不少的泥痕。就在这时，李姗看到了一个令她寒心至极的场景：一个已经抢到布袋子的胖女人发现自己的皮鞋被人踩上了泥污之后，竟然毫不犹豫地用刚刚抢到手的布袋子擦拭皮鞋上的泥污。完了之后，就像丢弃一块破抹布一样，随手把布袋子丢在了地上。一阵冷风吹来，布袋子被吹得飘来荡去。这时，李姗再也控制不住自己，眼泪不由自主地流了下来。

一刻钟

○刘心武

下午三点多，忽然接到尼娜的电话，问能不能来我家“打扰一下”。虽然吃惊，还是接纳。

尼娜是她在公司的化名，真名是王爱红，她的父亲是我中学同窗，比我大一岁。我和王兄穿越历史烟尘一直保持联系，我是看着尼娜长大的。尼娜从美国留学回来，在一家美国金融机构做事，前年已获中层职衔。偶尔应邀去尼娜家与王兄晤面，开始我也并不多想，但——“老弟，你看京城的万家灯火！”在他们家客厅落地窗前，王兄一拍我的肩膀，我就禁不住有些惭愧了。自己的儿子不过是介乎白领、蓝领之间的打工仔，哪能提供这种“法式情调、英式管理”的空间来让我独自待客。不过回到自己家里，也就自劝：人各有运，知足常乐。他们过得固然极好，我也并不糟。祝福他们，也祝福自己。

尼娜飘然而至。“你要出远门?”她是跟名牌拉杆箱一起进屋的，我不由得如此发问。还不止拉杆箱，她还提着一个大纸袋，那样的纸袋本是装名牌服装的，现在鼓鼓囊囊的，似乎乱塞着一些零碎的物品。“叔叔，我不出门，我一会儿回家去。我想求您——这些东西暂存您家。”我莫名其妙，她却又说：“我可以用一下您家卫生间吗?”当然可以，她匆匆进了卫生间，那临时搁在我家茶几边的纸袋歪倒了，里面有东西滑落出来，我拾起两个小镜框，一个里面是她妈妈的照片。想到王嫂去年仙逝，我一叹。

另一个里面是尼娜和儿子佳佳的照片。为什么她这个年龄段的白领丽人，多有像她这样成为“单身母亲”的呢？再一叹。又拾起一个银制的小奖杯，上面錾着英文，应该是公司为表彰她的业绩颁给她的。我把滑落的东西往纸袋里放妥，尼娜从卫生间出来，又问：“能不能喝杯热茶？”我知道她是习惯喝咖啡的，就说：“我这里虽然没有现磨的喷雾咖啡，不过速溶的品牌是靠得住的……”我一边冲咖啡一边问她：“怎么回事？”她把自己身体抛进沙发，双手拢拢头发，简捷地说：“我刚经历了人生中最恐怖的一刻钟！”

原来，他们那家公司，全球同步裁员，尼娜两点一刻接到通知：她被裁了。当时她还正忙着，也用不着她跟谁交接。公司规定，自接到裁员通知后，一刻钟内必须撤离。她想用座机往外打个电话，她那架电话已经撤销；想用电脑发封“伊妹儿”，局域网已经不允许她进入；她赶紧收拾私人用品离开办公区；到了走廊，想进入茶水间喝杯咖啡放松一下，发现自己手里的钥匙卡已经无法开启那门；想进入卫生间，也一样。到前台，交回钥匙卡，从此她再也无法进入几年来所熟悉的空间了……

“这太不人道了啊！”针对我的说法，她惨然一笑：“很人道的——我看见医务室的门大开，很显然是为了及时救助无法承受这一刻钟的被裁人士。路过那里我没有停步，但一瞥之间，看见高大的姜森——他比我高一级，金发碧眼，平时很威严——正在那里面一张躺椅上抽泣，周围两名医生也不知是在进行药物治疗还是心理干预……”

我不知道该如何安慰尼娜。但她喝了几口热咖啡后，镇定下来，冷静地对我说：“尽管我们早知道公司会有裁员大动作，也知道所谓‘一刻钟撤离’的游戏规则，不过事到临头，还是有些发蒙。”我问：“你下一步怎么办？”她一时沉吟不答，我就说：“如果你有困难，叔叔虽然不特别富裕，总还能……”她没等我说完，抬起头，笑了：“我们这种人，遇到的问题，不是没饭吃，而是今后能不能换个小碗吃饭。可是，一旦过惯了这样的生活，放下身段来，那不是一桩简单的事!”她告诉我，公司裁员，按合同，会给她这样级别的雇员一定的补偿，但是，“别的不算，光我那房子的月供，一个月就得两万……把大房子换小，从技术上来说是一个系统工程，从心理上说，纵使我承受得了，老爸现在住我那儿，他能马上接受这样的事实吗？他能接受了，佳佳呢？原来开福特接他，他都觉得‘没面’，现在如果把本田再换成捷达甚至QQ……不敢想！我只能缓冲一下，把这些东西暂存您这儿，起码一周之内，还天天开车离家做上班状!”

尼娜告别后，我想，于她那样的人士而言，人生中的这一刻钟，是既狼狈而又宝贵的，一切在于今后能不能给生活以更朴实的定位。

换客时代

〇非　鱼

李生所在的专题部有一个栏目，叫《体验》。就是让一些人去体验另一些人的工作或生活。体验者往往是从优裕的环境出发，放下身份，去体验社会底层的职业和生活方式，用自以为是的平等和同情，展示小人物的细枝末节。

无论制作者和观众出于什么心理，节目却是越做越红火，转眼到了第100期。

100期自然是要大动干戈，弄一个有分量的节目，来压一压场。

于是，李生想到了“换人”。确切说就是趁暑假让农村和城市的两个孩子互换一个星期。这个体验，矛盾和故事自然会更多。

说干就干。李生立即从城市到农村，物色孩子，说服家长。

城市的孩子好办，很快找到一个孩子，一家人正为他总上网发愁，家里掐了网线，他去网吧，一次次找回来，一次次跑出去，所有的聪明才智都发挥到和家长斗智斗勇上。李生刚把活动说个大概，一家人齐声赞同，叫小易的孩子先是不乐意，说农村太脏，经不住李生再三强调乡下山清水秀，风景如画，小易才点头同意。

找农村的孩子不大容易。孩子听说要到大城市去，自然满脸都是高兴，一百个乐意，不同意的是家长，有些明确拒绝，说孩子小，没出过远门；有些半遮半掩，也是推辞，最后有人给李生说，娃们放暑假顶半个劳力，要下地干活，娃走了，谁帮他们干活？这个李生倒没想到，他又返回去给人家说好话，说换过来的孩子一样可以用的，就当是自己的孩子，该让他干啥就干啥。小俊的妈妈终于答应可以试试，李生忙从包里掏出节目组准备好的礼品，一些火腿肠果冻奶茶什么的，说送给小俊。

一个星期后，两个孩子开始了正式的互换生活。一辆车拉了小易向乡下赶，一辆车拉了小俊往城里去，节目组分两拨同行。

小易开始还很新奇，对着窗外东看西看，和主持人聊天，问一些乡下的情况，没一会儿他就厌倦了，他从包里掏出一个手机玩，主持人说：小易，说好除了衣服你什么都不能拿不能用的。小易很不情愿地把手机交给主持人，情绪突然很低落，他看着窗外默不作声。

相反，小俊那里情况要好很多。李生跟在小俊的车上，小俊一直不停地问他，看到什么问什么，越逼近城市，他越是兴奋，李生很满意。

黄昏来临时，两个孩子分别到了新的家。

小俊妈不善言辞，接过小易的包放在里屋一张小床上，说吃饭吧。小易四处看看，黑黢黢的，一盏年限太久的灯泡由于瓦数太低的缘故，暗黄。小易说不饿，转身躺到小床上，开始了他在乡村第一个晚上的生活。

小俊的兴奋从下车，一直持续到见到小易的爸爸妈妈。洗过澡，吃了饭，全家人准备睡觉了，他还没有一点儿睡意。他对小俊房间的一切感到好奇，尤其是书架上的那些书，明星招贴画，拳击手套，还有电脑。

第二天，小易在一阵鸡鸣狗叫中醒来，小俊妈喊他去放牛，他说等吃过早点。小俊妈说放牛回来再吃饭，趁天凉快，先赶牛出去。小易深一脚浅一脚在小路上赶着牛，样子真的是笨拙可笑。牛总不听指挥，气得他拿鞭子抽，一鞭子下去，牛“哞——”地号叫一声，跑了。小易在后面追，追了好久，在几个邻居的帮助下，牛才被制伏。小易又气又累，加上饿，心里冒出一股火气，回到家他一声不吭。他的沉默一直保持到他离开。

小俊继续着他的兴奋，他在新“爸爸妈妈”的陪同下，去游乐园玩了整整一天，各种新奇刺激的游戏，让他不停地尖叫。晚上回到家，小俊还在回味白天的一切，一切都太好了，他倒在床上很快就睡着了。

小易的日子越来越不好过，蚊子、粗糙的饭菜，到处可见的鸡粪、猪粪，他简直要崩溃了。他一小时一小时地算着时间，等待着游戏的结束。

小俊除了偶尔会想妈妈和弟弟外，很少流露出不高兴的情绪。他的日程被安排得满满当当，参观展览、博物馆，看电影，去公园。崭新有趣的一切，让他似乎一下飞到了天堂。

七天时间，就这样过去了。

李生拍到了满意而丰富的素材，他高兴地宣布：这一期，绝对是重量级的。绝对。

电视台的车从市里出发，先送小俊回去，然后接小易回来，这样节目就算圆满成功。小易妈妈给小俊准备了很多礼物，把他打扮得像个帅气的小明星，然后跟他告别。

小俊刚到村口，就看见妈妈和小易站在那儿等他。所有的一切全又回到从前，繁华精彩的一切像梦一样，瞬间消失了。小俊一下子很不适应，他有些茫然。

小易继续着他的沉默，木然地和小俊妈妈拉手告别。

李生要他们俩站在一起，对这次的活动进行总结。

小易看了看周围的人，面无表情地说：我要回家。

小俊看着镜头，城市的兴奋褪去，他变得烦躁不安。他突然对着镜头说：我恨你。

钝感女孩

○聂鑫森

在“盛世广告公司”，上上下下近百人，没有人不喜欢徐乐乐这个小女孩。说是“小女孩”，年纪也是二十有六了，应该算个“大女孩”。

徐乐乐皮肤白，个子高挑，俗话说，“白易得，长难求”。五官的大小、位置，似乎经过精心设计，称得上是“绝色”，再施一点看不出的淡妆，“清水出芙蓉，天然去雕饰”，是真格儿的美丽，不是漂亮。漂亮的女子只有漂亮，而美丽的女子往往拥有良好的文化背景。她的父母都是教师，自己又是财经学院本科毕业，招聘到这家广告公司，满打满算干了四年，如今坐上了财务部的第二把交椅，“主任”前面只多了个“副”字。

徐乐乐的脸上，永远是浅浅的快乐的笑，见了谁都一样，即便有人当面说出难听的话，她也不动声色，好像没听见或者没听明白。这就是“钝感力”——迟钝的力量，别人没有，她有。

财务部的主任羿萱萱，是个美丽而精干的女子，比徐乐乐大两岁，也是个“单身贵族”。她是广告公司总经理孟如的大学同学，两人还有点儿亲戚关系，所以委以重任。

孟如总是忙得脚不落地的样子，除广告公司之外，他还有别的业务，一般人难得碰见他。公司的大小事务，各司其职，居然井井有条。对财务部有什么重要交代，他会直接去或打电话来，财务部也绝对会把事办得漂亮、瓷实。

羿萱萱是个灵泛人，她常会借故在上班时开溜，或干脆不来。她到底在忙些什么？徐乐乐从不打听，总是没心没肺地说："羿主任，我守在这里哩，有什么事我会办妥的，你尽管放心。"

孟如若是亲自来财务部，徐乐乐就说："羿主任到银行去了，您有什么吩咐，我会转告她的。"

如果是打电话到座机上，徐乐乐就说："孟总，羿主任上卫生间了。等会儿，我让她给您打电话吧。"搁下电话后，她赶快用手机给羿萱萱发短信。

羿萱萱很欣赏徐乐乐：没有野心，也不锋芒毕露，与人为善，不搞小动作，是个好相处的伴儿！于是，一有机会，她就在孟如面前夸奖徐乐乐的品行和才能。孟如一高兴，给徐乐乐的3000元月薪，再加了500元！

孟如是个会盘算的人，他在城里一个社区购置了一栋小别墅，装修后，再租给一个在本地经商的美国人，月租一万元。租金呢，每月打到专设的一个银行卡上，卡主的名字是羿萱萱。卡由徐乐乐收着，密码却只有羿萱萱知道。从网上查询，钱打来了，再由她们一起在收条上签名，然后把收条夹进由徐乐乐掌管的单列账簿上。孟如这样做，一可以免交"所得税"，二可以让她们互相制约，确实是技高一筹。而且卡上的钱，他从不打听，积了好几年哩。

一晃就冬天了。

有一天，羿萱萱没来上班，空空的财务部就徐乐乐一个人，该做的事都做完了，寂寞无聊。她从保险柜里取出记录租金的账簿，认认真真地看和算。她的眼睛瞪大了，在所有的收条中，怎么少了一张？

徐乐乐记得几天前的一个上午，羿萱萱说要核查一下账簿和银行卡，当时她要去税务局办个事，就把账簿和卡交给了羿萱萱，这完全是例行公事。她是下午快下班时才回到财务部的，接过羿萱萱递过来的账簿和卡，看也没看，就锁进了保险柜。此刻，她的脑袋一下子就热了，少了一张收条不打紧，再上网一查，真还取走了一万元钱！她虽不知道密码，但别人会说她难道不会去窃取密码？这个黑锅她可背不起。

她兀地站起，愤怒地在屋子里走来走去，然后掏出手机拨号，要和羿萱萱核对一下。但她马上又冷静下来，这可使不得！假如是总经理要羿主任取的钱呢？假如是羿主任自个儿取了钱有急用呢？她一问，这个“仇”就结下了，何况，即使孟如知道了，羿萱萱死活不承认，他碍着老同学的面子，只会迁怒于她，她还待得下去吗？

徐乐乐决定，什么也别问，“走马观花”，真到了那时候，再想办法吧。

徐乐乐依旧是快快乐乐、无拘无束的样子，和羿萱萱单独在一起的时候，两人谈貂皮大衣，谈羊皮手套，谈口红、香水，谈新上映的电影，谈演得正红火的电视剧……

离春节只有几天了。

孟如打电话来时，羿萱萱正好外出了。

“孟总，我是徐乐乐。羿主任去工商局了。好，将储蓄的租金都取出来，明天让羿主任送到你家里去，误不了事的。拜拜！”

徐乐乐忽然长舒了一口气。

她飞快地列好表格，填上一共是多少个月的租金，总金额是多少。

第二天上班时，徐乐乐含笑对羿萱萱说：“孟总要取出所有的租金，说有急用哩，还说请您把现款送到他家里去。”然后，递上一个鼓鼓的大牛皮袋，又漫不经心地说：“账簿、银行卡、表格都在里面，羿主任，您清点清点吧。”

羿萱萱说：“清点什么，我还信不过你？不费那个精神了。”

…………

春节过后，有一天，孟如去了财务部，当着羿萱萱和徐乐乐的面，说：“这笔租金，分文不差，可给我帮了大忙，谢谢二位。”

徐乐乐说："孟总，是羿主任管理有方，我只是她的小助手。"

孟如挥挥手，走了。

羿萱萱说："今晚，我请你看话剧《毒春麻辣烫》，在'富华大剧院'，这是票。记着，你可得准时到！"

徐乐乐说："羿主任，谢谢你！"

"徐乐乐，你支持我的工作，我真应该谢谢你哩！"

我在天堂等着你

○潘　格

初春的青藏高原，依然是寒风凛冽，白雪皑皑。远山玉带缠绕，天纯净似一块光滑的蔚蓝色丝绸。不时有放牧农人赶着肥硕的牛羊，哼唱着古老而久远的歌谣。

此情此景，让我们这支由五个人临时组成的小分队情不自禁又唱又跳，兴奋如孩子一般。

我们此番前行的目的地是一个叫做神仙湾的哨所。在中国巨大的版图上，它茕茕孑立地矗立在边陲之上。从得知团里要去神仙湾的那一刻起，我就陷入了极大的兴奋和期待中。说了你也许会很吃惊，这一车五个人，职务最高的团长已经是位大校，我们此行不是去完成什么重要任务，就是送一位姑娘去神仙湾哨所和她的未婚夫结婚。

姑娘叫杨丽，是一个普通的小学老师，她未婚夫，也就是哨卡那端的那个小伙子，我们虽然未曾谋面，但对他却已了如指掌。

他叫赵刚，神仙湾哨卡的连长，五年前，从一脚踏进神仙湾时起就再没离开过。在长达五年的时间里，他们传递爱情的方式就是书信，天高路远，电话很少打通。可即便是书信联系都那么奢侈，在神仙湾，一封书信走上半月十天再正常不过，遇上大雪封山，走上半年都有可能。五年来，他们坚定不渝地坚守着自己的爱情，默默咀嚼着分离的甜蜜和苦楚，无数次将约定好的婚期一推再推。最后，首长实在看不过眼，说，小赵我放你假，马上回家结婚！倔强的小伙子笑笑，说，回不去，我正带连队搞实战演练呢。首长灵机一动，那把新娘子接过来，就在咱神仙湾举行婚礼！

就这样，赵刚和杨丽两个人的婚礼成了一项政治任务。而我，有幸在部队首长的指派下陪同新娘子一同进藏。

汽车颠簸在喀喇昆仑山上。随着眼前的景色越来越壮丽，我们肺腔里的憋闷也越来越严重。为了进藏，此番我是做了大量准备的。可每天生活在都市丛林里，除了在跑步机上锻炼自己的双腿，又能怎样呢？随着海拔的升高，我开始悲伤地意识到此前的努力是多么徒劳无功。

大家不再唱跳，在这个连喘口气都奢侈的地方，氧气罩成了我们的救命稻草。终于，在海拔上升到三千米左右时，随队的一个小护士忍受不住高原反应，被送下山。新娘杨丽显然也到了极限，中间频繁地出现呕吐。休息时，团长跟她商量："实在不行的话就休息一天，明天再上哨所？"她摇摇头："上吧，我想早点见到他。"

汽车艰难跋涉在蜿蜒的路上，没过多久停下了，司机抱歉地告诉我们，剩下的路汽车根本无法开上去，只能靠我们的双腿慢慢丈量。

于是，团长、新娘子、司机、我和随队的一个医生一行五人甲壳虫一样执拗地前进。所幸并没走多久，山上的战士们冲下来，把我们几个人连拉带拽地拖进哨所。

婚礼的喜庆让简陋的哨所焕然一新，红花是战士们剪了毛毯和塑料纸自制的，喜字是战士们手写的。那些可爱的战士，最大的也不过二十几岁，脸上挂着高原红，满是憨厚的笑，拉着新娘子一口一个"嫂子"地叫着，仿佛久违的亲人。新郎被推搡着拉过来，看到千辛万苦投奔到自己面前的爱人，小伙子激动地搓着手，竟然说不出一句话。

在团长简单的发言过后，仪式开始了。原本设计好的婚礼程序一下子全都用不上了，大家根本听不进任何话，只是挥舞着酒杯高喊：干了！干了！新郎和新娘被人簇拥着，一杯接一杯地灌酒，那场面，我一辈子都没见过。

瞅了个空隙，我悄悄离开了。一个年轻的小战士紧跟在我身后，小心地问：首长，您不高兴？我笑说，不是，是这帮家伙太疯狂了。小战士诚恳地说：我来这里两年了，从来没见到过这么多人，也从没这么开心，谁说神仙湾的男人是和尚命？嫂子这不走进我们哨所了嘛，以后肯定还会有更多的女孩走进我们神仙湾！连长结婚了，婚礼就在咱神仙湾，你说，我们怎么能不激动……

喧闹一直持续到很晚。那一夜，几乎所有的战士都喝哭了，他们抱着头，流着泪唱：姑娘啊姑娘，嫁人不要嫁别人，我在天堂等着你……

电话骤响，突然接到执行紧急任务命令。一下子，所有人的酒都醒了，迅速投入战斗。新郎赵刚就是在这个时候冲进人群的，临走，他对新婚的妻子说："等我回来，我要亲自挑开你的红盖头。"

我们所有人笑着推搡他，别磨蹭了，快去快回！

黎明时分，哭声炸雷似的在高原安详宁静的上空骤然响起。我们一行人飞速地冲出去，彼时婚房外已经聚集了很多人。

小战士呜咽的诉说让我们大概知道了事情的经过：新郎执行完任务后马不停蹄地赶回来，一进门就发现新娘子蒙着盖头一动不动地坐在床上，依然保持着数小时前端坐的姿势，赵刚觉得有些异样，轻轻呼唤了一下爱人的名字，却没有得到回应，他走过去推推他的新娘，这才发现，在他离开的短短几个小时里，幸福就这样和他擦身而过，他永远失去了自己的最爱，阴阳两隔！

队医的诊断是高原反应引起的休克导致窒息。

没有人有异议，这个结果其实很多人早就猜到了。在这里，在神仙湾，生命有时候就脆弱到这么不堪一击。

组织上决定三天后举行新娘杨丽的葬礼。三天里，我们亲眼目睹了一个生命的存在和死亡，亲眼见证了一段爱情的结合和离散，悲伤如同河流静静淌进每个人的心脏。

按照规定，杨丽的骨灰要由专人负责送回故乡，临别那一刻，赵刚将怀里的骨灰紧紧抱了抱，仿佛抱着一生的至爱，他将她往胸口靠了靠，轻轻说了一句话，顿时在场所有人都忍不住哭出声来。赵刚说：杨丽，如果来生你还找我，要记住，赵刚在神仙湾，无论这辈子还是下辈子，他都在这里，你一定要记住了，我赵刚永远都在天堂等着你！

又一个五年过去了。高原的青草绿了又黄。曾经的连长赵刚在一次执行任务中牺牲，永远留在了神仙湾。

故事结束了。其实不是故事，是真事。还能说些什么呢？这世界上相爱并且能够相守的人啊，请珍惜你们的幸福吧。

“移不动”的生活是悲惨的

○蒋方舟

我中学的时候还没有手机，那时候在全国各地流窜，所到之处莫不引起一阵友善的诧异：“你怎么连手机都没有？”我不能诚实地说很差钱——那多不好意思啊。我总是一本正经地回应道：“我没有手机是因为我是一个卢德主义者。”卢德是英国工业革命时期的一名工人，为了反抗机器驾驭人类而捣毁了纺织机。而卢德主义者就是对新的科技发明忌妒厌恶而悲观的人，也指吝啬如我、因爱生恨的高科技憎恨犯。

送我上高中的那天傍晚，我们全家在外地阴暗燥热的小饭馆吃饭，我爸爸递给我一部手机，黑身绕着红线，如陨石般晶莹端庄。我开心得不得了，完全忘了自己一周前还像个异教徒巫婆一样诅咒“移动通讯是现代生活的罪恶之源，最终会使人类陷入灭亡地狱”。

事实上，即使身处地狱，有了手机，地狱里的日子也许会好过一点。在上网只能冒着生命危险打警犬躲保安翻围墙、打开电视只能看到年级主任公布“优秀班干部”的高中时代，手机是我们唯一伸向外界的触角。十一点的短信是《手机报》告诉我们谁在绯闻哪儿在打仗；十二点发出的短信是校园风云情侣最新动态；下午三点收到的短信是“第三大题第二问答案是多少”；晚上七点躲在厕所打手机参加电台的“K 歌之王”节目；深夜一点收到的短信是“我是苦闷而迷茫的高中生，只想找人说说话……”；凌晨三点收到的短信是问我买不买枪支和窃听跟踪器材。

我把手机放在离我最近的地方，上课时摸摸冰凉的按钮才觉得安心，睡觉时任脑电波和磁辐射齐跳踢踏舞也无所谓。尽管如此，我觉得我和手机的关系也只是正常，没有越过朋友的界限。我使用手机，仅限于通话和短信，对其他的功能，保持着六十五岁以上老人特有的警惕与不屑。我没有用手机上过网，也从未对手机说“拜托告诉我，我现在的位置”。我到现在还不知道“蓝牙”到底是什么，也从来没有在包装盒里找到任何和它的名字类似的零件。我有意地把对手机的依赖降到最低，目的就是为了保证自己残留些许的生存能力——少了手机我仍然能活下去。

最近发生的一件事让我发现，没了手机，生活也“移不动”了。两个月前，我用了四年的手机在一个陌生县级市的网吧里被偷了。放手机的口袋空荡荡的。我十分钟之后要去火车站接一队我没有见过面的同学并且要安排他们住下，第二天要去另外一个省采访三天。我一个认识的人都无法联系，该怎么做我一点办法也没有。整个网吧坐满了十三四岁的中学生，他们熟练地互骂脏话，很明显彼此相熟。我站在网吧的正中间，觉得自己所站立的半平方米周围的大陆全部崩塌，全世界沉没，只有我在孤岛上。

直到那一刻，我才发现手机对我来说多重要。丢了手机，失去了与外界的所有联系，我的生活就被猝不及防地按下了暂停键。手机就是我的身份，没有了它，我既无法证明“我”是“我”，也无法实现“我”是“我”。我只是一个在公共场合哭到打嗝的没有名字也没有目的地的人。

丢了手机，我无比焦躁，一想到有人联系不上我，就立刻急得泪盈于睫。“移动”在我们的生活中渗透得有多么细微深远——几乎办理任何业务都要把验证码短信发到手机上，没有手机我简直寸步难行。

在两个月的时间里，我一直用我妈的手机，平均每天有0.03个人联络我，让我对自身价值和存在感产生了极大的质疑。两个月之后，我不小心把她的手机卡也弄丢了。

弄丢手机引发了一连串的惨案：我丧失了许多工作机会。我扼杀了一段再联系频繁一点也许就有戏的暧昧关系。我用我妈的号码导致了严重的身份错乱，我爸通过警方联络到小偷的家，引发了他家关于道德的一场大争吵。而现在，惨案仍在继续，偷了我妈手机卡的人，正在给她通讯录里所有人发短信："我正想你呢，你想我吗？"我后悔我道歉，丢手机引发的连环惨案，不仅弄丢了我的身份，而且玷污了我妈的身份。

"移不动"的生活是悲惨的，"移得动"的生活是轻巧的。我的一个大学同学是移动达人，他对"3G"技术极其着迷。他神情陶醉地把手机高举过头顶走遍学校的每个地方测3G信号，他揣着手机一路骑车几乎到河北境内去搜索3G覆盖，他亢奋地用五个小时向我描述了一场中外关于"频谱利用率"的生死论战。我一年多没见到他，以为他在这个移动领域已经取得重大进展，后来发现他的最大突破是用3G定位技术宏观跟踪女友出游，并用3G视频电话微观监视女友的一举一动，事后还在网上公布跟踪教程和反跟踪破解。我对他没有敬意，但也不予以否定。无论如何，"移动"改变生活，科技以人为本嘛。

贵妇人

○邓洪卫

去上海。三十几号人。包了一辆大巴。某证券公司邀请一些客户到上海总公司听一个财经讲座。顺便玩玩，交流交流感情。

被邀请的人当中，除了我，都是中高端客户，很有些钱财。我是作家，被请来写文章的，搞搞宣传。还有几个公司的客户经理、理财师。

大家高高兴兴地上路了。客户经理为了调节气氛，做了个小游戏。游戏过程中，穿插一些节目。我才发现这些有钱人精神生活都很丰富，有唱歌的，有唱戏的，还有说快板的、讲笑话的。五花八门，丰富多彩。

有一个妇人引起我的注意。四十多岁，有点发福，但不算胖，穿着很时尚得体。她始终笑眯眯的，带头鼓掌，演节目。她唱黄梅戏《女驸马》：人人夸我潘安貌，谁知纱帽罩婵娟……她唱得真好，在窄小的车厢里，还加些手势身段。我想她年轻时，一定很漂亮，引来许多男子的倾慕。

唱完了，大家齐声叫好。由于她的热情带头，几个岁数大一点的客户也起身表演。

一路说着笑着，就到了上海。

听讲座。晚上聚餐，分两桌。一桌有几个活跃分子，热闹，男女互相劝酒，说笑话，高潮迭起。而另一桌，则显得冷清一些，大都是岁数大一点的老头老太太，吃得很稳重。我就在冷清的这一桌。那贵妇人也是，可一会儿，她就被喊到那桌去了。那桌就更加热闹。

女人在灌男人酒。她们知道，凭实力，她们是不行的。可她们有性别优势。只三言两语，便把那几个男人哄得五迷三道。这几个男人酒量都惊人，可是最终都有点高了。

最后，她们选了一个爱说荤话的小伙子，狠灌。那个小伙子不知深浅，在女人堆里，把持不住，逞英雄，来者不拒。最终，英雄露出本相，当场就倒了。当然，也有个别女的牺牲了，醉得脚都站不稳。

一夜无话。第二天上午，游了朱家角。

下午，返程。还是那辆大巴，拉着三十来号人，上了高速路。

大家都有点累了，那个能说会道的女客户经理昨晚喝高了酒，现在还没什么精神，躺在后座上休息。大家说了一会儿话，也都休息了。

大概过了一半的路程，大家纷纷醒来。再过一个多小时，他们就到达自己的城市，各奔市里或县里自己的家。他们才觉得有许多话还没有说，他们得抓紧时间聊一聊。直到现在，那个贵妇人依然给大家很好的印象。

那个贵妇人坐在中间，唱戏的嗓子，很亮。她说什么前后都能听见。

她先跟坐在旁边的人说话，就是昨晚上被灌的小伙子。

一聊，原来她跟小伙子是一个县的。贵妇人说，我丈夫派车来接我，到时跟我们顺车回去吧。前座一个女子也说，姐，我也是一个县的，我也跟您的车好吗？贵妇人说好。贵妇人很兴奋，打开了话匣子。她先是跟身边的人说，再跟前后的人说，最后几乎是跟全车的人说。本来，还有几个人混杂着说，后来，就她一个人说了。

那贵妇人在说政治。说我们市，准确地说，主要是他们那个县的官场。

从县委书记到县长，再到组织部长、宣传部长，他们的姓名、性别、身高、长相、脾气秉性，一路下来，她都说得头头是道。

再后来，她说起自己的丈夫。原来，她丈夫是那个县的公安局长。

她对身边的小伙子、前座的女子，还有其他人说，你们遇到什么事，找我啊，我能帮忙的尽量帮忙。

那个小伙子说，我安分守己的，能请公安局长帮什么忙啊！

贵妇人说，说不定。这年头，谁保不准会犯点什么事。即便自己不犯，一大摊亲戚朋友呢。

贵妇人说，十年修得同船渡，咱们今天在一个车上坐，都是朋友了。

贵妇人说，待会儿，我丈夫开着警车来接我呢。

果然到了公司大楼前，一辆警车在那里候着。一个警察下来，满脸堆笑地从贵妇人手里接过礼品，放在车上。打开车门，请贵妇人上车。

贵妇人说，还有两个人要跟我们的车呢。

回过身来，大巴车上的都已下了车，相互道别，没有一个答理贵妇人。

要搭顺车的小伙子和姑娘，也不见了踪影。

坐着火车去敦煌

〇田洪波

从走进火车软卧车厢起，我就没给过林志炫好脸色看。

林志炫是我心底里对他的称呼。真的，他长得太像林志炫了。也戴一副眼镜，下巴颏儿很尖，而且他们年龄相仿。

林志炫却一直不太在意我的态度，将东西放到门上方的行李架上后，讨好地冲我一笑："行了，我的大公主，我们将在这节车厢里度过十四个小时，有什么吩咐尽管对我说。"

我鼻子里轻蔑地哼了一声。你算老几呀？别以为妈妈让你陪我出来旅游，让你帮助我戒除网瘾，你一个通讯公司的小瘪三就不知天高地厚了，就可以对我颐指气使了。你也许还不知道姑奶奶的厉害，这一路行程，我倒要让你见识见识！

包间里的另两个座位是一对老年夫妇，这会儿都冲我们友好地点点头。

火车开动不久我就嚷着天太热，把上身衣服脱得只剩下个吊带背心，两只小兔子似的乳房晃得三个人都不敢睁眼睛。

"不能吧？"林志炫目光闪烁地犯起傻来，"软卧车厢都安装的空调啊！我去问问乘务员……"

我不置可否。他是否会与乘务员闹个不亦乐乎，不在本姑奶奶的考虑范围。

当然，如果他们就此打起来那就更好了，谁让他充当妈妈的帮凶！

其实，他比我也大不了几岁，但他好像业务很拔尖儿，就很受妈妈的器重，把他提拔到了中层干部岗位。我不知道此次去敦煌的创意是出自妈妈还是他，反正他们两个人是沆瀣一气，目的就是让我彻底离开电脑。

可离开电脑，对于我简直就是世界末日。我哭，我闹，我不吃饭，最后气得妈妈一个巴掌打在我的脸上："这事儿由不得你，必须给我走！"

我恨妈妈！真的，自从她和爸爸离婚后，她身边的追求者就像苍蝇似的嘤嘤嗡嗡的，而妈妈对此也好像很得意。谁敢保证她没跟其中的一两个上过床？她那样不自重，干吗还涎着脸来管我？

林志炫好一阵儿才回来，他告诉我说乘务员保证空调运转正常，言毕去调试车窗上方的空调按钮。我哼了一声，懒得理他。

气氛有点尴尬。

我闭着眼睛回想着自己的过去，爬在墙头等红杏、今夜我陪你、我是靖哥哥……一个个闪动的QQ笑脸在我的眼前晃，把我晃火了。

"热热热！"我大吼起来，然后灵机一动、扇摆起黄色超短裙来。我知道我的蕾丝花边内裤一定会放出它应有的光芒！

果然，我看见林志炫的脸红到了脖子根。那对老年夫妇中的男士把手抚在了胸口上。

后来，那对老年夫妇去过道了，说是透透风。

我大笑，一个仰八叉躺在了卧铺上，干脆让蕾丝花边内裤完全暴露在林志炫面前。

结果，林志炫涨红了脸，最终还是叹息一声也去了过道。

我没来由地哭了起来。说实话，我真的很想念那些靖哥哥们。

晚上去餐车吃饭，我不顾林志炫的阻拦，把自己灌了个酩酊大醉。

于是第二天早起，我为没能搅得他们睡不好觉而有些后悔，便又从包里掏出卫生巾折叠起来。

三个人都把头扭向别处，而我就那么翻来覆去地叠！

“下站就到敦煌了。”林志炫突然幽幽地说。

他的话让我停止了手上的动作，心里又有了一个主意。

林志炫站起来收拾东西，我盯住他说：“我要去卫生间。”

林志炫想阻止我，可他看到我手里的卫生巾，说：“那你快点儿。”

我白了他一眼。在乘务员关门之前，我机智地闪进了卫生间。

我关闭了手机，心里乐开了花。

十五分钟后火车重新发动，我开机给林志炫发了条短信：“亲爱的傻哥哥，你安全地下车了吧？哈！祝你在敦煌玩得愉快。我将在终点站下车。旅游完了，你也放心地买票回家吧！拜拜。”

出了卫生间，我又在盥洗室洗了洗脸，梳理了一下头发，然后才慢悠悠地漫无目的地返回车厢。

结果在车厢尽头，我看到了一脸怒容等在那里的林志炫！

下一站就是嘉峪关，林志炫不由分说拉我下了车，我一直想挣脱他的拉扯，但显然这回他是真的生气了，就是不撒手。

“你凭什么拉我？凭什么?!”我的叫嚷引起月台上旅客的骚动。林志炫的脸上又现出尴尬。

“你闹够了没有?”他正色地看着我，“别以为这个世界上就你是太阳，大家都得围着你转！为了帮你戒除网瘾，你知道吗？你妈妈不得不推迟一个商务谈判，并让我这个业务骨干抽出身来，专程陪送你，为的就是不让你再走那条路，患上自闭症!”

“那是她自作多情!”我有点心虚。

林志炫气得脸都几乎变了颜色：“她说她就你这么一个女儿，执意不让我们坐飞机。她怕……她让我带你看看敦煌，看看莫高窟，想让你知道除了网络，外面的世界有多精彩，我们祖国的文化有多博大！她一直坚持没有再成家，也是担心你会离她更远!”

“可是……”我哭了，“你有什么资格这样教训我？”

“因为……我也曾经是你这样的人。”林志炫扬起了下巴颏儿。

我定定地望着他，月台上的人都变得模糊了，唯有他渐渐清晰可亲起来……

别有天地

〇聂鑫森

半个小时前，他和他还素昧平生。

半个小时后，他和他大有相见恨晚之慨。

他是深巷中这座小庭院的主人，叫卓天成，一个退休快十年的园艺工人。

他是偶尔经过这里，因院门未关就进来了的不速之客，自报家门“小于”，四十岁出头，斯斯文文的样子。

这是个仲春的上午，日色温润，云色也温润。庭院东隅的玉兰树上，疏疏密密的花，硕大而洁白，散发出清雅的香气。空坪隙地，错落地放置着被称为“托”的石架、木凳，“托”上是形状各异的紫砂盆，盆里峙立着“缩龙成寸”的山岭丘壑。

他和他在盆景边，走走停停，停停走走。话也随脚步，长长短短，短短长长。

“卓老，你把几十年的业余时间，都丢在盆景里了，采集材料不易，塑山造水尤难，连一个苔斑都培植得活活有生机，宛若自然天成。”

“无非是痴迷而已，居城市而有山林之思，烦恼就少了。”

“你的山水盆景，不像海派、苏派，也不像岭南派、剑南派，但又取各家之长，有了自己的东西。”

“海派、苏派讲究比例合度，手法精细；岭南派崇尚色彩艳丽，大俗大雅；剑南派注重雄与险。皆是地域山形水貌所致。我的呢……”

“一言以蔽之：野、怪、辣、拙！”

“小于，你出语不凡。”

他和他在玉兰树下坐下来喝茶，石桌上的花影深深浅浅，浅浅深深。茶味儿也跟着深深浅浅，浅浅深深。

“你为这些盆景节衣缩食，可想过售之于人？”

“也想过，但到底舍不得。”

“我好像在别处见过先生的作品。”

“家里断断续续总有些难事，不知怎么人家就知道了，主动上门给办了。我也没什么可谢，就送个不值钱的盆景吧。”

“什么难事呢？”

“儿子下岗要重新安排工作，老伴儿开刀要找家好医院，孙子大学毕业了要找个去处……唉！”

“你应该办个展览，这么美的东西，何不让世人共享？展标就写‘别有天地·卓天成盆景艺术展’！”

“谢谢你的赐名，可我不敢奢望啊。”

话说够了，茶喝淡了。

他站起来，拱了拱手，说：“打扰，打扰。卓老，我该告辞了。”

人影缓缓飘出庭院，一下子不见了。不知客人从何处来，到何处去，水流云散，了无痕迹。

卓天成发了好一阵呆，他快步走进庭院上方的一栋老屋。老屋里寂然无人。老伴儿出门买菜去了。儿子、儿媳、孙子，中餐和晚餐都在这里用。俗事缠人啊，卓天成叹了一口长气。

他寻出一本相册，坐在客厅的沙发上，细细地看。那里面嵌的都是平生所制的山水盆景照片。《独峰揽大风》、《万壑起狂涛》、《云谷野路仄》、《怪石穿空鸟飞绝》……有的呢，原物还在；有的呢，换了主人。他眼里忽地涌出了泪水，抹了又有，有了又抹……

几天后，他曾经供职的碧湖公园，邀他去那里举办盆景艺术展，展厅在湖畔的“柳风榭”。场地费有人付了，海报也贴出去了。

似梦，非梦。如幻，非幻。

到了将要布展的前一天，院门被小心地推开，进来一群搬运工人，交给他一封信，放下好几盆奇山异水，然后笑吟吟地走了。卓天成拭拭眼，竟是他此生最称意的几件作品，怎么齐刷刷地回了家？

他急急地拆开信，一行一行看下去。信上说：这些盆景是你平生的心血之作，理应物归原主。我调任贵地不过两年，有人便得知我的业余爱好，喜欢侍弄这些盆玩。或称是自制，乞我帮忙养护；或说是交流技艺，以优品换走我的劣作。初未在意，时间一长，便生疑窦，执意追问，方知这些盆景皆来自尊府。你是一位老工人，解决你的困难，本是各级干部应尽之责，为何不请自来？其意在你的盆景，得之则又为馈赠于我。上之所好，下必投其所好，古人之言甚确。今后，我必舍此嗜好，再不与盆景结缘。先生之大展别有天地，我定会前来一赏。信尾落款：小于。

就是那个贸然来访的小于？

小于是谁？从行文口气揣测，应是市里一个地位不低的领导。这办展览一事，是他策划的？

开幕式是在一个上午举行的，观者如潮。卓天成没有看见小于的身影。

快到中午时，展厅里的人少了，稀了。

卓天成突然看见，有一个熟悉的人影从容地走进门来，分明是小于……

桃花驾临

〇海　飞

芒种从部队回来的时候，正是秋天。芒种站在秋天的天空下，看到了白露。白露在自己家的院子里洗衣服，她的衣裳被秋风鼓成了一叶帆。芒种看着帆，想，本来这叶帆是自己的。

芒种穿着绿军装，从白露家门口走过。白露抬头看到了，脸上掠过一丝惊喜，说，回来了？芒种笑，露出白牙，说，回来了！端午从屋子里走出来。他是白露的男人，也是丹桂房的村主任。端午的目光像老鹰一样阴郁，端午用老鹰的目光看看白露，又看看芒种。端午说，回来了好，跟老子一起办厂吧。

芒种点了一下头，又笑笑。然后，芒种绿色的影子，在秋风里闪了一下就不见了。村里人都知道，芒种和端午是朋友，最好的朋友，最好最好最好的朋友。芒种去当兵了，把女朋友白露托给端午，说，端午，帮兄弟一个忙，等兄弟和白露成亲生下孩子，就让孩子叫你干爹。

但是后来，端午把白露骗到了手，软硬兼施的，白露成了端午的老婆。白露写信给芒种，收到信时芒种刚好在带班里的战友训练。那天芒种看了信把信给撕了，然后大吼一声。芒种在五公里越野的时候，跑了全连第一。芒种的力量怎么也用不完，但是后来他却哭了，跪在地上哭，说，白露白露，白露白露。

芒种没有进端午的村办厂。大家都说，傻，傻，你真傻，女朋友没了，这工作可不能不要呀，这是端午在补偿你。芒种笑着摇摇头，他找到端午，承包了一百亩的山地，种下了桃树。他就在桃林里搭了个小屋，他把自己当成了一棵桃树，种在了地里。

端午被抓走了。端午贪污村里的公款被抓走了。走向警车时端午脸色苍白。白露愣住了，她变得不会说话，只是木然地看着端午。端午看到了人群里的芒种，就走了过去，他手腕上的手铐，在阳光下闪了一下，一下子就刺痛了芒种的眼睛。端午说，兄弟，现在轮到我请你照顾白露了。

芒种点了点头，他把头点得很郑重。因为他是军人，所以不由自主地双腿一靠。丹桂房人都听见了，说芒种那靠腿的声音，真他妈的响亮。

芒种被选为村主任。芒种被选为村主任以后，把村办造纸厂给关掉了，这就断了村民们的财路。村民们就反对，就大吼，就说他妈的，我们能把你选上，也能把你撸下来。村民们愤怒的声音，铅云一样撑满了丹桂房的天空。芒种召开了村民代表大会，芒种说，造纸厂的污水，只会把美丽的丹桂房变得像一个大型垃圾桶。村民们说，那你让我们怎么挣钱？芒种说，我们建生态园，建观光农业园，让城里人给我们送钱。我们要建起一座有山有水的丹桂山庄。同意的请举手。

手都举起来了。芒种看到，白露个子不高但是把手举得最高。

很快的，观光农业园建成了，无公害蔬菜基地建成了，休闲山庄建成了……几年之内，丹桂房人就富了，富了的丹桂房人说起芒种，就觉得这个不大爱说话的退伍兵，真好！

见了白露的儿子，芒种说，我认做干儿子了。白露就很感激，说，你不恨我？芒种笑了，恨有什么用，这姻缘，是上天定的。

芒种一直没有娶亲，有媒人给他介绍，他不要。他说，我还年轻呢。但是一晃，芒种就三十岁了。在农村，这个年纪的人，孩子都要上小学了。

端午回来了。芒种给他接风。芒种在酒桌上喝得很豪爽，芒种说，喝，喝喝喝。结果两个人都醉了，他们抱在一起，一定要白露唱一首歌。白露就唱：我家住在丹桂房，大风从农业园区刮过……芒种和端午就大笑，说，他奶奶的，很摇滚嘛。芒种说，端午，和我一起干吧。端午说，行。

桃花又开了。芒种一抬头，看到了一帮城里人。为首的是端午的妹妹，叫秋分，在县城教书。秋分说，芒种哥。芒种看到一个美丽的人影在面前晃。秋分说，我带同事们来参观你的观光农业。芒种说，欢迎。秋分说，我不想回去了，我想和你一起在丹桂房做事。芒种想了想，仍然说，欢迎。站在不远处的白露就笑了。后来大家都说，白露是芒种和秋分的大媒人。这是后话了。

而现在，春风把秋分的衣衫吹得鼓鼓的。桃花正在盛开，花开放的声音，从四面八方奔袭而来。芒种深陷其中，他突然觉得眼角流出了一串幸福。秋分给他递上纸巾，轻声说，芒种，你怎么了？

芒种说，秋分，难道你没有看到——桃花，桃花，桃花……

秋分说：桃花怎么了？

芒种笑了，很清晰地回答：桃花，已经驾临了。

鱼　鹰

○杨光洲

我说的鱼鹰是人，不是水鸟。

三十多年前，我刚记事时就听说过鱼鹰。鱼鹰家住卫河边上，是卫河中游的钓鱼台、石羊胡同、石榴园、西花园，还是卫河上游的合河村，人们各有各的说法。但是，听过鱼鹰传奇后，人们的感觉却都是一样的，那就是：神！鱼鹰的水里功夫比浪里白条张顺还要神！

鱼鹰要想过卫河，随时都可以过去，无论脚下是否有桥，水里是否有渡船。咋过？他把肥大的裤管撸到大腿根儿，下到河里，半蹲，两条小腿曲成盘，有时还一手端着蒜臼，一手拿着馍，蘸着蒜汁吃着馍，就过河了。到了对岸，放下裤管，竟一点也不湿……有人说鱼鹰的脚掌很宽，趾缝间有软肉，脚就像蹼一样，人在水上不动，可水下的脚划起水来比鸭子还自如……

鱼鹰瞄鱼的眼力更是了得！他走到河沿，甚至于站在高出河面五六米的大众桥上，一眼就能看到水底的鱼！“这儿，一条‘铁扁担’！”“这儿，一窝‘锅片儿’！”拿搂网的人照着鱼鹰手指的位置一网抄下去，准有一条五六斤的黑鱼或一窝鲫鱼被捞上来。捕鱼人手忙脚乱地把鱼收拾进渔篓，转身向鱼鹰说“谢”时，鱼鹰的身影已在远处……

然而，鱼鹰并不总是帮着捕鱼人，更多的时候，在鱼与人之间，他偏袒的是鱼。

河边垂柳嫩黄泛绿时，鱼鹰会在捕鱼人身后唠叨：“少捕点吧，母鱼正甩子哩。现在捕这么多，到夏天没鱼可捕可别怨我没把话说在前头哇！”

知了和河里的蛤蟆开始二重唱时，鱼鹰会溜到渔篓旁：“才进夏天呀，鱼还没长起来哩。你瞧，这条还不到四两，让它再长长吧！”也不管捕鱼人是否同意，他一扬手，“扑通”一声，把那条鱼给放生了！

河堤斜坡上野菊还在风中招蜂引蝶呢，鱼鹰可就堵在持网捕鱼人面前了：“都秋天了，还用网捕鱼？就不怕明年河里没有鱼——给明年留点鱼种吧。”如果人家不听，鱼鹰还死气白赖着不走：“要不用鱼竿钓吧？少钓点，给明年留点想头。别用这么大的网！想给一网打尽了呀？”

虽然有一身水中的好功夫，鱼鹰却很少下河捕鱼，家里更是难得吃一次鱼。如果来了客人，客人提出要吃鱼，鱼鹰才会去捕鱼。下河前鱼鹰要问客人想吃什么方法烹制的鱼。客人想吃红烧鱼，鱼鹰拎回来的必是条大鲤鱼。客人想吃熘鱼片，鱼鹰拎回来的定是条黑鱼。客人想喝鲜鱼汤，鱼鹰拎回来的准是一兜鲫鱼片儿。鱼鹰捕鱼有个规矩，鲤鱼、黑鱼、鲢鱼这些大鱼，每次只捕一条。至于鲫鱼片儿，则要看喝汤的人数，每人一条，每条不超过半长，多一条他也不带上岸。有人劝鱼鹰多捕点，鱼鹰就像被人骂了祖宗，恶狠狠地盯着对方：“别想坏了俺的规矩！”

到我十多岁的时候，卫河水已开始变浑发腥。一到夏天，总有几天卫河得翻河，就是河底的脏东西沉淀得太多了，天一热，都泛到上面来了。这时，大鱼小鱼都浮到水面换气。河面上满是一张一合的鱼嘴，用洗脸盆都舀得起鱼来。

这时，卫河两岸的人们往往全家老小齐上阵，搬网，粘网，抛网，甚至于窗纱、蚊帐都派上了用场。一场全民皆兵的捕鱼歼灭战打响了，鱼儿陷入了“人民战争”的汪洋大海！这时，常有一位破衣烂衫蓬头垢面的老汉骑着快散了架的自行车在卫河两岸奔走呼号：“少捕点吧！过两天一下雨，河水不臭了，鱼就不浮头了，留到明年会有更多的鱼给你们捕呀！”

小孩儿追在他后面喊“鱼疯子”、“鱼疯子”，用碎砖头、小石子掷他，他全然不顾，还是一个劲地呼号。有人说，他就是鱼鹰，已经疯了！

而立之年，我背井离乡，要到千里之外的异乡谋生。此时的卫河已臭不可闻。临行时，不知咋的，我忽然想起了卫河，想起了鱼鹰，便问送行的朋友：“你知道鱼鹰吗？”

“知道！老黄历了！你傻不傻？”朋友不屑一顾地说，“卫河里鱼绝种了，咋还会有鱼鹰？鱼鹰早死了！”

超　重

〇肖复兴

那天到机场送人，飞往法兰克福、伦敦、罗马和巴黎的航班，密集得像雨点似的挤在一起。大概正赶上暑假结束，大学开学在即，到处可以看到推着装有大行李箱推车的学生们，送行的父母特别多。候机厅里，家庭的气息一下子很浓，像是客厅，相似的面孔不停地在眼前晃动。

不时有孩子进到里面去办理登机手续，家长只能够站在候机厅里等，儿行千里母担忧，他们都抻长了脖子，把望眼欲穿的心情赋予人头攒动的前方。不时便又看见有孩子匆匆地从里面走出来，给家长一个渴望中的喜悦。不过，我发现，匆匆出来的孩子大多并不是为了和送行的父母再一次告别，也很少见到有依依不舍的场面。那样的场面，似乎只留给了情人之间的拥抱和牵手。

站在我身边的是一位面容姣好的中年妇女，凉鞋露出的脚指甲涂着鲜艳的图案，这样风韵犹存的女人，在我们的电视剧里一般还要在男人怀里撒娇呢。现在，她像是只温顺的猫，眼神有些茫然。不一会儿，我看见一个大小伙子推着行李车，气冲冲地向她走来，没好气地对她嚷嚷道："都是你，让我带，带！都超重啦！"只听见她问："超了多少？"语气小心，好像过错都在自己。"10公斤！"只有儿子对母亲才会这样肆无忌惮。听口音，是南方人。

于是，我看见母亲开始弯腰蹲了下来，把捆箱子的带子解开，打开箱子。那是一大一小赭黄色的两个名牌箱。儿子也蹲下来，和母亲一起翻箱子里面的东西，首先翻出的是两袋洗衣粉，儿子气哼哼地嘟囔着：“这也带！”然后又翻出一袋糖，儿子又气哼哼地嘟囔一句：“这也带！”接着把好几铁盒的茶叶都翻了出来：“什么都带！”母亲什么话都没说，看儿子天女散花般把好多东西都翻了出来，面前像是摆起了地摊。最后，儿子把许多衣服和一个枕头也扔了出来，紧接着下手往箱底伸去，只听见母亲叫了声：“被子呀，你也不带了？”

我有些看不过去，走了两步，冲那个一直气哼哼嘴撅得能挂个瓶子的儿子说：“10 公斤差不多了，你东西都不带，到了那儿怎么办？”儿子不再扔东西了，母亲站了起来，一脸忧郁，本来化得很好的妆，因出汗而濡染出些许的斑纹。“先去试试再说。”我接着对那个儿子说，他开始收拾箱子，母亲则把茶叶都从铁盒里掏出来，又塞进箱里。儿子推着行李车走了，我问那位母亲孩子去哪里，她告诉我去英国读书。她脚下的那些东西都散落着，稀泥似的摊了一地。

这时，我身旁另一侧，又有一个女孩推着车走到她的父母身边，表情几乎和那个男孩一样气哼哼的，把车使劲推到她父亲的脚前，说了句：“严重超重！”父亲和刚才这位母亲一样，立刻蹲下身子，替女儿打开行李箱，我一看，箱子里几乎全是吃的东西，而且全是麻辣食品，不用说，来自四川。左翻翻，右翻翻，父亲权衡着取出什么好，女儿站在那里，用手扇着风，摸着脸上的汗，说：“这都是我想带的呀！”这让父亲为难了，倒是母亲在旁边发话了：“把那些腊肠都拿出来吧，那玩意占分量。”父亲拿出了好几袋腊肠，又拿出好几管牙膏、一大罐营养品和几件棉衣，再盖箱子的时候，鼓囊囊的箱子瘪下去一大块。女儿风摆柳枝般推着车走了，我悄悄地问母亲这是去哪儿，她说是去法国读书。

独生子女的一代，理所当然地觉得可以把一切不满和埋怨都发泄给父母。养儿方知父母恩，他们还没到明白父母心的年龄。他们可以埋怨父母的娇惯和期待超重，却永远不该埋怨父母对自己的情感超重。

老　贾

○杨　葵

老贾喜欢收集文物。家里柜子多，大多顶天立地，里边的内容，半是世界各地奇石，半是各式各样的陶罐字画拓片佛像，都是多年苦心搜集所得。明明都是好东西，主人却总自谦：不值啥钱的！说那话的神态，像个老财主，生怕人家盯上他碗里的肉。

我们慕名到老贾家参观，东西太多，看不过来，请主人讲讲。老贾得意地笑笑，说要拿根棍儿比画着说。顺手抄起一物握在了手中。我定睛一瞧，一柄青铜剑，铸造年代应在汉以前。

老贾好像对陶器格外青睐，屋里遍布大大小小、高高低低、胖胖瘦瘦的陶罐。爱屋及乌吧，还连带收了不少汉唐或者更早的下水管子，也是陶土所做，大多是残段儿。正想问他为何如此热衷于陶罐，忽然看见可以算做“陶罐王”的一个巨罐，上边隐约有些整齐的墨迹，就先凑过去辨识。不想辨识完，问题也没了，因为已经有了答案——罐子是古物，但上边的墨迹却是今人老贾自留，百八十字，一篇精彩的小品文。开篇即作惊人语：罐者，观也。得大罐者有大观，有大观者得大罐。

说到老贾的字，很好，在社会上也挺有名，能卖钱。我们这伙人都想求一幅作纪念，但书案旁贴了张字条，大意是说，卖字画补贴家用，实属不易，来人若要，请按定额支付润例，丈二若干，中堂若干，云云。话说得明确，不好造次，大家只好避而不谈索字之事。

同伙中有一姑娘，是老贾挚友，看出大家的心思，精心设计了一通，最终让我们如了愿。她也随我们一道看罐子，但不像我们只看只叹，她的话故意地多，每当老贾说到得意之物，姑娘就会絮叨：“这么好啊！那你得送我吧，你早说过让我挑一件的呀！”一次两次这么说，老贾还不当回事；次数一多，老贾明显紧张起来，话少了，得意之情更是飞散九霄云外。不时眼珠滴溜儿转，露出些紧张与狡黠。

屡遭吓唬之后，姑娘突然“爽快”地说：算啦，我也不要你的宝贝了，作为交换条件，给我们几人各写幅字吧。老贾闻此，如逢大赦，满口应诺。铺开大纸，一一写毕，交到各人手中。写完了，喝口茶歇歇气，突然眼珠转了转，回过味儿来，不甘心地嘟囔一句：少挣了几万块钱呢！事到如此，我们只做充耳不闻状，顾左右而言他。偷眼再看老贾，懊恼之情溢于言表。

老贾住家旁边，有个很大的文物市场。市场里的物件，当然真真假假，鱼龙混杂。谁眼拙，碎了牙咽肚里，怪不得别人。于是市场里的人，个个眼珠滴溜儿转，神色里混杂了紧张与狡黠，但又因了大多数人只是“玩玩”，所以，又都不失憨厚。老贾这样已经登堂入室的收藏家不太爱去这市场，但偶有闲情逸致，也会“微服私访”。我就撞见过一回，只见老贾混在人群里，一模一样的紧张狡黠，又不失憨厚。

就要那棵树

〇伍中正

米唐家门口长着一棵大树。树是樟树，枝繁叶茂，像一大团无法握住的云。

米唐常常对那棵树一望好半天。她在树下唱歌，在树下写字，还在树下跳舞。米唐娘看见了，说，米唐不唱了，该吃饭了。米唐就不唱了。米唐娘说，不写字了，该去撒把鸡食了。米唐就不写了。米唐娘还说，米唐，不跳了，该去园子里掐些菜叶来。米唐就蹦蹦跳跳去了菜园。

米唐考进了城里的学校。那棵树成了米唐学费的一少部分。凑学费的那些日子，米唐娘就想到了门前的樟树。当米唐娘的身后跟着几个肩背头手拿斧锯绳索的人时，米唐就知道，再怎么挽留这棵树也迟了。

那一大团无法握住的云倒下来的时候，米唐远远地站着，买树的人也远远站着。树一落地，米唐抓着一根枝就哭起来。买树的人见了，劝她：米唐，别哭了，不就一棵树吗？那些挖树的人也跟着帮腔：再说，树就栽在离你学校不远的地方，你还可以去看！

米唐就渐渐地止住了哭。

买树的人示意那几个人锯断一些树枝。那几个人手中拿着锋利的锯子，寻找树枝最柔弱的部分下锯。树枝断裂的声音很响，响在米唐空旷的屋前。

树让一家工厂买走，那家工厂在城里。米唐看见那棵脱光了衣服的樟树走上了去城里的路。

米唐在樟树生长的地方，又开始唱歌。米唐娘听了，说，米唐，不唱了，你比娘幸运，树到了城里，你在城里还能看见，娘就真的看不见了。

娘的话，又说出了米唐的眼泪。

米唐沿着那棵树走过的路，进了城。

米唐念书的学校，离那家工厂不远，也就是离那棵树不远。米唐下了课，就对着那家工厂望，就对着那棵树望。

星期天，米唐就去看那棵樟树。米唐看见樟树栽在厂门口。厂子里的人很讲究，还为樟树搭了凉棚，树很快就活了过来。那些发出来的新芽长出来的新叶就说明了树没有死。米唐还看见有一个人还在为树浇水。渐渐地，米唐就跟浇水的那个人熟了。浇水的是老魏。米唐每次走的时候，就跟老魏说，魏叔，很感谢你，过几天来看你。说完，米唐就默默走开。

回到宿舍，米唐拿出画笔和纸，一笔笔，很快画出了那棵树。画完，米唐把那幅画贴在床头。她起床时看，睡觉前还看。同宿舍的女生弄不明白，就问：米唐，好多的事物可以画，干吗要画一棵樟树？米唐淡淡一笑，不说话。

再出去，米唐邀了个有照相机的女生。在树下，那个女生为米唐照了好几张照片。

米唐回到家。米唐就高兴地对娘说，娘，那棵树长得好好的，还发了芽。说完，米唐还拿出了在树下照的照片。娘听了看了跟着高兴。

米唐说，娘，往后，我还要买回那棵树！

米唐还到那棵树下去。接纳城市的阳光和雨水，樟树完全活过来了，再没有那黑黑的凉棚遮盖它美丽的身躯。米唐站在树下，老魏还在为那樟树浇水。那些从厂里出来的人，边走边说着什么。有人说到了树，说到了厂长，说厂长不应该拿职工要发的福利去买树，说这厂弄不好就要垮了。老魏看见他们走远，才对米唐说，米唐，这厂子怕不行了。

米唐问，魏叔，厂里的人往后会不会对这棵树起坏心？

老魏说，工人情绪不稳，说不定啊。

米唐“啊”了一声。米唐很艰难地从那棵树下走回了学校。

米唐从那所学校毕业后就恋爱了。

米唐领着男友走向那棵树。在那棵树前，米唐停下步，用手指着那棵树说，你看你看，那树枝上还歇了一只黑鸟。男友顺着她手指的方向，漫不经心地看了一眼。

米唐说，你多看一眼就不行？男友说，行。男友就紧紧地盯着那棵树。那树上的一只鸟让他盯飞了。

这个时候，米唐很幸福，也很沉醉。她让男友的手轻轻地揽住了自己的腰。

这个时候，米唐的眼里就有一些晶亮的泪水。

城市这么大，这么繁华，米唐最喜欢的地方就是那棵树下。她经常把男友带到那棵树下。她看见那些从城市吹来的风，一阵一阵地翻看樟树的叶片；她看见那些枝头落下的叶片很眷恋地飘向大地；她还看见老魏很坦然地在树下做最后的守望。

男友起初弄不明白。男友说，米唐，恋爱的地方多着呢，你换个地方行不行？你说行，我把那棵树买给你！

米唐要的就是这句话，她等的就是这句话。

米唐的眼里浸着泪水说，这棵树就是原来我家门口的那棵树，我想让它回家！

男友说，行。

米唐门口的樟树又回来了。

米唐也请人给那棵樟树搭了凉棚。她还对娘说，娘，有空的时候，给树浇浇水。

米唐走后，村里有人和米唐娘坐在屋里聊天，聊着聊着，就聊到了门口的樟树：米唐娘，你家米唐有能耐呀，那棵你舍不得卖的树，又给你弄回来了！

米唐娘说，当天挖这棵樟树时，我家米唐还在树下哭呢。我就晓得她舍不得，说不定她还要把这棵树要回来。

米唐娘说完，两行泪扑簌簌往下落。